KB103300

부의 흐름과 국제 관계

파라과이 박

주식회사 부크크

목차

프롤로그

대항해 시대 포르투갈과 함께 신항로의 개척에 가장 앞장섰던 스페인은 유럽의 다른 국가들보다 일찍 신대륙에 식민지를 개척하고 경제적인 번영을 누리고 있었다. 특히 펠리페 2 세의 시대에 스페인은 네덜란드, 밀라노, 나폴리, 시칠리아 등을 영유하고, 남미의 브라질과 아시아의 필리핀까지 식민지로 두는 명실공히 유럽 최강의 패자였다. 이러한 배경 속에서 스페인은 해외 식민지의 유지와 금과 은을 수송하는 상선을 보호하며, 동시에 지중해에서는 오스만 투르크 제국의 세력을 막기 위해 그 유명한 무적함대를 건설하게 되었다. 문제는 당시 스페인의 통치 아래 있던 네덜란드는 펠리페 2세의 종교적인 탄압과 경제적 착취에 항거하여 1566년부터 독립운동을 벌이고 있었는데 이 당시 영국의 국왕이었던 엘리자베스 1세는 스페인의 세력을 약화시키는 것이 자국의 안정과 번영에 도움이 된다고 판단, 네덜란드의 반란군에게 정치적, 재정적 지원을 하였으며, 사략선을 통하여 스페인의 해상 교통로를 교란하도록 하였다. 당시 스페인이 네덜란드의 통치력을 유지하기 위해서는 중간의 프랑스 영토를 지나갈 수 없었기 때문에 지상군은 물론 무기와 보급을 모두 해상을 통해 수송할 수밖에 없었는데 이 해상 교통로가 바로 영국과 프랑스 사이의 영국해협과 도버해협이었던 것이다. 즉 영국의 사략선이 손쉽게 스페인의 보급선들을 털어먹기 좋은 환경이었던 것, 여기에 영국은 스페인에 대하여 꽤나 공세적인 전략을 취하였는데, 여왕을 비롯한 무역상, 은행가 등 투자가들이 협력체계를 유지하고 아예 국가적 차원에서 약탈행위를 장려하고 나서면서, 스페인의 네덜란드쪽

보급선을 교란하는 것에 그치지 않고 아예 대서양을 건너오는 스페인 식민지의 금과 은을 약탈하기 위하여 선체는 낮지만 항해성이 뛰어나고 현측에 중포를 설치한 전투함을 잔뜩 건조하여 대서양의 스페인 수송선들까지 털어먹으면서 스페인의 신경을 제대로 긁어놓고 있었던 상황이다.

그렇지 않아도 종교적인 이유로 갈등을 겪고 있던 양국 관계에 이런 사략선으로 신경이 거슬리던 스페인을 정말로 빡치게 만드는 사건이 하나 일어났으니, 이는 1585년에 아예 7천의 병력을 네덜란드에 파병하고 드레이크에게 작위를 주어서 카리브해 일대의 스페인 영토에 대한 공격을 허가하였던 것이다. 1585년에 드레이크는 29척의 함선과 2,300명의 병력으로 구성된 함대를 이끌고 신대륙으로 출항하여 스페인과 포르투갈 식민지를 탈탈 털어먹은 다음 1586년에 귀환하였다. 또한 네덜란드에 파병된 영국군은 네덜란드군과 함께 네덜란드 연안의 수심이 깊은 항구를 통제하면서 네덜란드의 독립을 직접적으로 지원하게 되었던 것, 거기에 1585년 영국이 네덜란드와 동맹까지 맺게 되자 더 이상 참을 수 없다고 판단한 펠리페 2세는 영국을 직접 공격하여 영국에 정치적 종교적 영향력을 확대하고 동시에 네덜란드에 대한 통치를 지속할 수 있다고 판단하여 자신의 무적함대를 동원하기에 이르게 된다. 1604년에 영국과 스페인이 평화협정을 체결하면서 영국-스 페인 전쟁은 끝이 나게 된다. 무적함대가 박살이

나면서 스페 인의 국위가 실추된 것은 물론 이 전쟁 이후로 스페인의 국력은 점차 내리막길을 걸어 이후 벌어진 30년 전쟁을 겪으면서 합스부르크 왕가는 사실상 몰락하게 된다. 또한 30년 전쟁 이후 1648년 베스트팔렌 조약을 통해 네덜란드까지 완전히 독 립하게 되면서 스페인은 유럽 최강국에서 유렵의 2등 국가로 내려앉게 된다. 반면에 영국은 이 전쟁에서 승리하면서 이후 대영제국까지 발전하는 첫 걸음을 내딛게 되었다.

1.유럽 르네상스 이후 30년 전쟁의 숨겨진 이면

30년 전쟁의 전후 배경은 이렇다. 1521년 5월 25일 루터를 이 단자로 규정하며, 그에 대한 제국 추방을 결의했던 보름스 칙령은 역설적으로 루터의 종교 개혁 사상을 수용하는 프로테스탄트 세력의 규합을 위한 결정적인 계기를 제공하였다. 1530 년 아우크스부르크 제국 의회 이후 가톨릭과 프로테스탄트 진영이 상호 격돌하게 되면서, 반(反)합스부르크 방어적 군사 동맹 조직으로서의 슈말칼덴 동맹이 결성되었다. 슈말 칼덴 동맹은 작센주 선제후 요한 프리드리히 1세와 헤센주 방백 필립 1세의 주도 아래 결성되었으며, 아우크스부르크 신앙 고백을 슈말칼덴 동맹의 공식적인 신앙적 입장으로 수용했다. 본 동맹은 이후 프로테스탄트 연합으로 계승되면서, 30년 전쟁의 주역으로 등장했다. 그러나 유럽 대륙이 오스만 투르크의 군사적 위협에 직면하게 되면서, 당시 황제 카를 5세는 프로테스탄트와 가톨릭 세력의 규합을 통한 군사적 대응을 위하여, 국론의 분열을 야기시킬 수 있었던 슈말칼덴 동맹에 대한 탄압을 잠정적으로 중지했다. 이후 카를 5세는 프로테스탄트 세력에 대한 강경노선을 채택하면서, 급기야 1546-1547 년 슈말칼덴 전쟁에서 프로테스탄트 세력을 제압하며 승리했다. 그럼에도 불구하고, 프로테스탄트 세력은 지속적으로 대중적 지지기반을 유지하게 되면서, 카를 5세에게 아우크스부르크 잠정안(1548), 파사우 협정(1552), 아우크스부르크 종교 평화 협약체결을 하도록 정치적으로 압박했다. 1555년 아우크스부르크 종교 평화 협약을 통하여 양측 간의 군사적-정치적 긴장은 다소 완화되었으나, “교회 유보권” 조항으로 인한 프로테스탄트 진영의 가톨릭 교회 재산환수가 실패하고, 개혁 교회가 공식적 교파로서 인정되지 못하게 되면서, 이후 불가피하게 지속적으로 교파 간 갈등의 국면이 재개될 수 있는 가능성을 제공하였다. 이는 1618년 보헤미아 반란을 통하여 30년 전쟁으로 비화되었으며, 최종적으로 합스부르크 왕조와 동일하게 가톨릭 신앙을 공식적으로 채택했던 프랑스가 신성 로마 제국을 침략하게 되면서, 가톨릭 국가를 표방했던 프랑스의 부르봉(Bourbon) 왕조와 신성 로마 제국의 합스부르크 왕조 사이의 유럽 대륙의 패권 장악을 위한 영토 전쟁으로 변모되었다.

초기에는 스페인계 합스부르크 왕조가 신대륙 아메리카를 통 하여 획득한 부를 통하여 유럽의 패권을 장악하고자, 30년 전 쟁에 개입하면서, 가톨릭 진영의 승리로 귀결되었지만, 이후 프로테스탄트를 국교로 채택했던 덴마크와 스웨덴, 그리고 가톨릭을 국가의 공식적 신앙으로 채택했던 프랑스가 개입하면서, 복잡한 상황이 전개되었다. 이와 같이 종교적인 사안의 중요성은 약화되고, 유럽의 패권을 장악하기 위한 정치적인 관심사가 본격적으로 드러나기 시작하면서, 교파를 초월한 군사적 동맹 관계가 현실화되었다. 1640년 이후로 30년 전쟁의 평화적 종식을 원하는 제후들이 증가하면서, 브란덴부르크 선제후였던 프리드리히 빌헬름이 평화협상을 주도했다. 그는 황제 편에서 스웨덴과 휴전조약을 체결했으며, 다른 제후들은 그를 따랐다. 그 해 평화를 위한 중요한 조치가 이루어졌다. 덴마크의 중재 아래, 1641년 12월 25일에 함부르크 잠정협정을 체결하여, 이 후 평화 협정 체결을 위한 협상을 개시할 것을 합의하였다. 회담 장소로서 베스트팔렌 주의 가톨릭 지역이었던 도시 뮌스터와 프로테스탄트 지역이었던 도시 오스나브뤽이 부상했는 데, 그곳은 협상 기간 동안 중립적인 위치를 지킬 수 있는 곳이었기 때문이었다. 협상 기간 동안 참석자들에게 자유통행권이 보장되었다. 물론 페르디난트 2세가 평화 협상을 적극적으로 지지한 것은 아니었다. 그는 우선적으로 신성 로마 제국의 영토에 침입했던 외국 세력과 연계된 국내 프로테스탄트 세력 및 가톨릭 세력을 분리시키고자 했으나, 실제적으로 이는 성공하지 못했다. 왜냐하면 프로테스탄트 제후들은 스웨덴에 호소하면서, 그들의 종교(교파 선택)의 자유를 확보하고자 했으며, 가톨릭 제후들은 프랑스에 지원을 요청하면서, 동일한 가톨릭 신앙을 수용했음에도 불구하고, 프랑스는 합스부르크 왕조의 독점적 통치 체제를 견제하고자 했기 때문이었다. 결과적으로 외국 세력과 연계된 프로테스탄트, 가톨릭 제후들이 평화 협상에 참여하게 되면서, 페르디난트 2세의 정치적 시도는 좌초할 수밖에 없었다.

결국, 30년 전쟁의 승전국으로서 프랑스와 스웨덴은 베스트팔렌 평화 조약을 통하여 유럽의 강국으로 부상했으며, 합스부르크 왕조의 보편제국의 군주 이념을 추구했던 정치적 시도가 좌초하면서 근대적 의미의 유럽의 국민 국가 체제가 수립되었다. 뿐만아니라 1648년 베스트팔렌 평화 조약을 통하여 스위스, 네덜란드의 신성로마 제국 이탈이 공식적으로 승인되었으며, 동시에 스위스는 영세 중립국의 지위를 획득하였다. 프랑스는 알사스 지방을 사실상 병합하며 유럽의 패권을 장악할 수 있는 계기를 확보했다. 1499년 슈바벤 전쟁을 통하여 신성 로마 제국으로부터 실제적으로 독립을 쟁취했던 스위스는 1648년 베스트팔렌 조약을 통하여 공식적으로 독립을 쟁취했다. 또한, 스페인 합스부르크 왕조의 지배를 받았던 네덜란드 북부 7개주는 1581년 스페인 독립 전쟁을 통하여 독립을 쟁취했으며, 1648년 베스트 팔렌 조약을 통하여 국제적인 승인을 받았다. 또한, 스웨덴 왕은 베스트팔렌 조약을 통하여 메클렌부르크-포어포메른주 공작 영지를 확보하면서, 메클렌부르크-포어포메른주의 공작 지위를 획득, 제국의회에 참석할 수 있는 의회원의 자격을 취득했다. 소결하자면, 30년 전쟁의 숨겨진 이면의 진실은 이렇다. 대항해 시대 이후 스페인과 포르투갈이 식민지를 두고 다투는 사이 네델란드는 동남아로 진출하는 발판을 마련해 고수익 고위험에 기반한 최초 주식회사인 동인도회사를 1602년에 설립하였다. 식민지를 건설하면서 스페인, 포르투갈의 카톨릭은 선교로인해 원주민과 마찰이 잦았지만, 네델란드는 신교라 그런지 선교활동은 상대적으로 약했다. 신교 교세의 확장에 심기 불편한 구교는 식민지를 지키기 위해 1618-1648 사이 신교와 30년 전쟁을 벌였고, 이는 대박 터뜨리는 무역 거점을 둘러싼 쟁탈전으로 변모하였다. 구교인 카톨릭은 농업국가이고, 신교인 프로테스탄트는 공업국가였다. 신교의 자본력으로 교세를 넓히자 구교는 자신의 식민지를 지키고자 대항하였다. 그 결과 오늘날과 같은 종교와 민족을 근거로 유럽에 많은 국가가 수립되어 현재의 국가 모습을 갖추게 되었다.

2.중국 아편전쟁의 원인과 평가

전쟁 발발 당시 영국에 대한 중국의 최대수출품은 차(茶)였고, 영국의 주요수출품은 모직물과 인도산 면화였다. 양국의 무역수지는 중국의 수출 초과 상태가 지속되었기 때문에, 영국으로서는 차 수입을 결제할 은(銀)이 부족했다. 이에 따라 영국은 중국에 아편을 수출해 무역적자를 해소하려 하였다. 1차 전쟁은 영국의 승리로 끝났지만, 광대한 영토를 가진 청나라는 경제적으로 자급자족적 성격이 강했기 때문에 영국의 무역은 생각만큼 확대되지 못했다. 중국에서 생산되는 면포는 영국의 주력 수출품인 모직물과 인도산 면화에 충분히 경쟁력이 있었다. 중국이 영국산 물품을 사주지 않자 영국은 다시 전쟁을 벌여 중국을 굴복시키고 홍콩을 할양받는 계기를 마련한다. 무역을 통해 세계 자본은 돌아야한다. 이것이 자본주의의 근간이다. 그러나 아편전쟁 즈음 중국의 고립주의로 서구는 무역 적자가 심해 이의 개선이 필요했다. 중국이 서구로부터 받은 무역 대금을 서구에 재투자를 했었더라면 중국의 부의 미래는 밝았을지도 모른다. 그때까지 세계의 부는 중국에 있었다.

3.몽고 제국의 상업

몽고제국 시절, 중국의 비단이 서유럽에 유통될 때의 마진은 생산지 유통가의 3배였다고 하니, 현재의 자유무역 시스템의 원조라고도 할 수 있을 것이다. 자본주의 시스템이 도입되기 300년 전 즈음이었으므로 무역은 값비싼 고가의 상품이 주류를 이루었다. 몽고 치하 무슬림권은 교리상 대출을 자선행위로 보고 이자를 받지 못하게 했다. 그래서 상품 무역이 발달하여 그때는 왕성한 무역활동을 벌였다. 유라시아가 통합되어 있던 때에 남유럽, 중앙아시아, 무슬림, 유대인이 주로 무역활동에 참여하였다. 몽골 제국은 자유 무역을 장려했으며 종종 한 나라에서 다른 나라로 물품을 수출했다. 평등주의와 종교적 관용이라는 몽골의 철학은 자유로운 사상 교환을 촉진하고 자유 무역로를 창출했다. 몽골인들은 무역을 촉진하기 위해 도로, 운하, 우편국으로 구성된 방대한 시스템을 개발했다. Yam 시스템으로 알려진 우편 시스템은 20~30마일 간격으로 스테이션이 배치된 일종의 중세 조랑말 특급 시스템이었다. 역에는 음식, 말, 숙박 시설이 갖춰져 있어 모든 여행자에게 도움이 되었다. 몽골인들은 필수품과 사치품을 무역에 의존했다. 무역과 무역로는 몽골 제국의 주요 동맥이었다. 제국은 약 1279년부터 제국이 끝날 때까지 지속된 "팍스 몽골리카" 또는 몽골 평화 기간 동안 잠시 평화, 안정, 무역 및 여행 보호를 가능하게 했다

목가적인 유목 생활 방식은 동물과 관련된 많은 제품, 특히 가죽, 고기, 양모, 우유, 치즈를 생산하지만 자급자족할 수 있는 경제는 아니다. 목축 유목 생활은 목축 유목 생활에서 생산할 수 없는 곡물 및 기타 식료품과 같은 제품을 확보하기 위해 정착민 사회와의 무역 또는 조공에 의존한

다. 몽골은 생산 제국이 아니었다. 오히려 그들은 중국, 인도, 중동 및 유럽 경제 지역을 연결하는 실크로드 무역로에 세금을 부과하는 추출 제국이었다. 그러나 몽골인들은 이러한 경로에 세금을 부과했을 뿐만 아니라 실크로드를 훨씬 더 안전하게 만들었다. 이 시기까지 상인들은 유럽에서 아시아까지 여행을 하지 않았다. 길을 따라 있는 국가들이 먼 땅에서 온 외국 상인들을 보호할 것이라는 보장이 없었기 때문이다. 오히려 상인들은 실크로드의 작은 구간을 여행하면서 여행 구간의 양쪽 끝에서 상인과 상품을 교환했다. 예를 들어 중국에서 유럽으로 상품이 이동하는 동안 여러 번 주인이 바뀌었다는 말이다. 그러나 이제 처음으로 전체 실크 루트를 통제하는 단일 국가가 있게 되었고, 유럽인들이 전체 길이, 즉 중국까지 여행하는 것이 가능해졌다. 가장 유명한 것은 베네치아 상인 마르코 폴로가 1271년부터 1295년까지 24년 동안 아시아를 여행했으며 심지어 중국에 있는 징기스칸의 손자 쿠빌라이 칸의 궁정을 방문하기까지 했다. 그는 유럽에서 아시아까지 상세한 기록을 남긴 최초의 여행자였다. 1295년 쿠빌라이 칸이 사망한 후, 몽골 제국은 일련의 더 작은 '카나테'(왕국, 공국 또는 제국과 유사하거나 이에 상응하는)로 나누어졌다. 그 후 유라시아의 많은 부분이 단일 국가 아래 통합된 적은 없었음에도 물품은 실크로드를 따라 길고 느린 여행을 계속했다. 그러나 중앙아시아를 횡단하는 긴 여행은 물품만이 아니었다. 1340년대에 유라시아 전역을 휩쓴 림프절 전염병과 흑사병은 전체 유럽인의 3분의 1에서 5분의 1을 죽였고 중세 유럽을 변화시켰다.

4. 영국 명예혁명과 프랑스 혁명의 비교

많은 이들이 근대 민주주의가 17세기 영국에서 시작되었다고 한다. 17세기 유럽은 격변의 시기였고, 특히 영국에서는 왕권과 의회의 권력이 크게 충돌하던 시기였다. 17세기 중반에 영국은 국교도의 세력과 가까운 찰스 1세의 계속되는 실정에 실망한 민심은 국왕이 아일랜드의 가톨릭교도와 내통했다고 생각했고, 로드 대주교를 지지한 찰스의 종교정책은 개신교도들의 불만이 급증했고, 신대륙으로의 이주민도 나타났다. 한편 청교도들이 대표가 된 영국 의회는 주교와 국왕에 반감을 가졌다. 1642년부터 왕당파와 의회파는 아일랜드 봉기사태를 계기로 내전에 들어 가게 되었고 점차 런던의 부유층과 사업가들의 지지를 받은 의회에 유리하게 상황은 전개되었다. 의회와 국왕 사이의 갈등은 헌정적 쟁점을 둘러싸고 발생하였지만 내전을 통해 종교적 갈등이 개입되어 혁명으로 치달았다. 의회군의 핵심 지도자인 로버트 크롬웰은 군대와 의회가 갈등을 겪는 와중에 의회에 진입하여 다수의 의원을 숙청하고 남은 하원의 잔당세력으로 구성된 의회에서 국왕 찰스의 처형을 주도하며 혁명을 이끌었다. 영국의 17세기 중반기의 혁명은 내전과 혁명 그리고 혁명정부의 붕괴를 거치면서 18년 동안 지속되었다. 이때 국왕은 처형되어 잠시 영국에 존재하지 않았고 무정부 상태로 남아있었다. 이 시기의 혁명은 크롬웰과 의회의 공동통치의 형식을 취하긴 하였지만 크롬웰이 갈수록 군사 독재를 하자, 영국민은 그에게 등을 돌렸다. 1659년 크롬웰이 사망한 후 그의 아들이 계승한 정권은 1년 만에 붕괴되었고, 찰스 2세의 복고 왕정이 시작된다. 왕정복고 직후기에 이루어진 타협은 임시적인 것으로 불완전하였다. 따라서 왕권이 약했다. 왕당파와 의회파 사이에 가장 중요한 타협은 종교적 관용에 대한 것으로 이때 복고적 타결은 영국교회를 청교도가 아닌 성공회로 결정한 것이다. 따라서 청교도들의 불만은 해소되지 않았으며 국왕도 은밀히 영국의 종교를 다시 가톨릭으로 되돌리려는 의도를 가지고 있었다. 당초에 찰스2세는 신앙자 유령을 선포하였으나 이후에 그를 계승한 제임스 2세는 이를 지키려 하지 않았다. 1688년에 잠정적 타협을 위태롭게 한 두 가지 요인이 있었다. 하나는 제임스 2세가 왕위를 계승할 아들을 갖게 된 것이고, 또하나는 국왕이 가톨릭교도 아이랜드인의 군대를 지속적으로 강화한 점이다.

17세기 영국의 명예 혁명은 제임스 2세의 탄압으로 의회의 보수파와 진보파가 공동으로 협력하여 왕정체제를 개혁하기 위한 몰입하였던 1688 년에 일어났다. 제임스 2세는 35세에 가톨릭으로 개종한 이후 자신의 신앙적 신념을 감추어 왔지만 그가 영국을 가톨릭국가로 개혁하며 절대주의 체제로 복원하려 한다는 의구심을 살 만한 조치들이 있었다. 제임스 2세는 1687년과 그 이듬해에 두 개의 신앙자유령 조치를 발표하였다. 첫해에는 비국교도와 가톨릭교도들에게 신앙의 자유를 부여하고 이들이 정부관료와 군관료에 임명되는 것을 금지하는 법령 들을 폐지하였다. 다음해는 가톨릭교도의 공직 임명을 공개적으로 공표하고 선전하여 국민들이 납득하기 어려운 조치를 하였다. 이에 대하여 영국의 7인의 주교는 국왕과 국민들을 위기에 몰아넣을 이런 2차 신앙자유령의 선언에 반대하는 탄원서를 국왕 제임스에게 보냈지만, 국왕이

대노하여 그들을 런던 탑에 투옥하고 기소하였다. 그는 그의 전임자 찰스2세가 의회를 무시하여 1681년 의회 해산을 한 이후의 회소집 규정을 무시한 것처럼 의회에 대하여 자신의 사람들을 충원하려 하였다. 그는 또한 상비군의 병력을 8천5백명에 서 2만명 수준으로 끌어올리고 이들에 대한 법령면제를 적용해 국왕의 심복으로 삼으려 했다. 그는 사법부의 판사들도 자신의 취향에 따라 마음대로 임명하였다.

제임스 2세의 전제적 통치가 극에 달하게 되자 의회지도자들은 정치체제를 바꾸려 했던 국왕의 음모를 견제하기 위하여 협력하여 네덜란드의 메리의 부군인 오렌지공 윌리엄의 개입을 요청하였다. 12월 12일 제임스 국왕은 런던에서 철수하였고 도시는 군중의 손에 넘어갔다. 영국은 무정부 상태로 빠졌다. 급기야 12월 셋째주에 영국의 국왕 제임스 2세는 파리로 도주하였다. 12월 18일 윌리엄 공은 런던에 무혈 입성하였고 영국민은 그를 열렬히 반겼다. 영국의 상하원은 국왕의 자발적인 망명으로 실망하고 위기에 빠진 상태에서 국가의 안위를 위하여 오렌지 공에게 영국의 통치를 맡아 줄 것과 공회 의회를 소집해 줄 것을 요구하였다. 윌리엄은 이에 응하여 영국의 치안과 질서를 수호할 것과 다음 달 즉각적인 선거와 공의회 소집 등의 조치를 취할 것을 선포하였다. 비록 그의 명령은 법률적 근거는 없었지만 유일한 법률 기반인 국왕 제임스의 망명으로 사태를 해결할 다른 방안이 없는 상황에서 영국민은 윌리엄의 명령에 복종하였다. 이후 윌리엄은 영국의 의회세력에게 자신의 국왕취임에 대한 지지를 요구하였고 제임스가 루이14세의 지원을 받아 복귀할 것이 예상되는 상황에서 영국의회는 보수파와 진보파가 윌리엄과 메리의 공동군주취임과 권리장전 선포를 연계하여 파국적 위기를 수습하였다. 소결해 보면 , 17세기 초 자본주의가 유럽에서 발달하면서 영국에도 부르주아가 생겨났고, 세금을 마음대로 거두려하는 영국 국왕의 전제정에 반발하여 무혈혁명이 일어났다. 이는 왕족및 귀족들은 자신들의 존속을 바랐고, 부르주아는 자신들의 부를 더 불릴수 있기를 바라, 명예혁명은 양측간의 타협의 산물이라과 봐야 하겠다. 그 결과 명예혁명은 입헌 군주정과 산업혁명의 물꼬를 트는 계기가 되었다.

프랑스 혁명을 서술하기에 앞서 루소에 대해 잠시 지면을 할 애한다. ‘인간 불평등기원론’에서 루소는 인간의 정치 사회적 불평등은 사적 소유를 축으로 하는 권위의 관계에 기인한다고 하여, 그가 죽고 난 뒤에 사회주의자들은 그의 제자가 된다. 루소는 인간이 공동생활을 영위하기 위해 거주지를 만듦으로써 사회가 형성되었고 이웃과 교제하는 생활방식이 생겨났다고 주장하고 이 초기사회를 인간의 황금시기로 보았다. 그러나 그 황금시기는 오래가지 못하고, 사랑과 함께 질투가 생겨나 자신의 능력과 성취물을 타인의 그것과 비교함으로써 불평등과 악이 생겨났다고 루소는 본다. 그리고 재산의 출현으로 그것을 보호하기 위한 법과 정부가 만들어짐으로써 불평등은 더욱 심화되었고, 평화를 제공하고 재산권을 보장하기 위해 등장한 시민사회는 주로 부자에게 이익을, 즉 기존의 소유권을 적법한 것으로 정착시켜 가난한 자는 계속 무소유 상태로 만들었다고 설명한다. 따라서 정부를 세우는 것은 가난한 자가 부자보다 얻는 것이 적은 한 정당하지 못한 사회계약이며, 다른 한편으로 사회 속의 인간은 결코 만족을 모르기 때문에 가난한 자 못지않게 부자도 행복하지 못할 뿐 아니라, 인간은 끝없이 갈등하고 적개심을 친절이라는 가면 뒤에 숨긴 채 서로 미워한다고 루소는 보았다. 우리는 위의 논리로부터 당연히 개인주의나 무정부주의 또는 권능이 매우 제한된 정부 그리고 재산의 공유제를 핵심으로 하는 사회주의를 상상할 수 있다. 그래서 그런 제자들이 나옴을 당연하게 여길 수 있다. 그러나 정작 루소 자신은 '사회계약론'에서 국가 통제주의와 집단주의를 주장한다. "인간은 자유롭게 태어났으나, 모든 곳에서 사슬에 매여 있다"는 유명한 문장으로 시작되는 그 책은, 사실 그 사슬을 타파하는 데에는 아무런 관심이 없고, 도리어 그 사슬을 정당화하는 사회계약을 설명한다. 개인들이 맺는 사회계약은 당연히 모든 개인이 주권의 주체이고 지배자이게 한다. 이것이 그의 인민주권론이다. 이어 그러한 사회계약에 의해 창설되는 국가는 개인이 권리를 양도함으로써 통일성, 공동일체감, 생명과 일반의지를 가진 도덕적이고 집단적인 기구이자 공공인격체가 된다. 여기서 국가의 주권은 개인에게 전체적이고 무조건적인 복종을 요구한다는 국가주권론이 나온다. 이처럼 루소는 '인간불평등기원론'에서 설명한 거짓된 사회계약과 반대로 '사회계약론'에서는 시민사회나 국가가 참된 사회계약에 근거하면 인간은 자연상태의 희생을 대가로 더 나은 자유, 즉 스스로 부과한 국가의 일반의지에 복종함으로써 참된 정치적 자유를 얻을 수 있다고 주장한다. 그러나 일반 의지가 구체적으로 무엇인지는 명시하지 않는다. 루소는 그것이 정당하기만 하면 다수 또는 소수, 나아가 개인의 의사일 수도 있다고 본다. 따라서 루소가 직접 민주주의에 근거한 공동체주의를 주장했다는 것은 허구다. 어찌되었건, 루소의 사망 후 그를 재발견한 것은 프랑스 혁명 직후 로베스피에르를 비롯한 자코뱅파들에 의해서였다. 그리하여 루소는 19세기 이래 국민국가론의 아버지로 추앙되었다. 그러나 1950년대 프랑스와 다른 여러 나라 마르크스주의자들은 프랑스 혁명의 자코뱅 후계자로 볼셰비키를 들었다.

이와 반대로 카뮈는 프랑스 혁명의 공포정치를 공산주의 혁명에 의한 소련 공포정치와 연결시켜 그 둘 모두에 대해 의문을 제기했다. 즉, 루소의 일반의지는 '보편적 이성'인 법률로 나타난다. 그러나 인간의 천성이 선량하지 못하다면 그 정당성은 상실되고 마침내 모든 것을 범죄로 만들어 버리기에 이른다. 즉 전제정치다. 독재, 개인적 테러리즘 혹은 국가적 테러리즘, 정당성의 결여에도 불구하고 정당화된 이것들은 인간의 반항이 그 뿌리로부터 단절되고 일체의 구체적 도덕을 상실하는 순간부터, 20세기 양자택일의 양자(어느쪽을 선택해도 독재)가 되었다고 카뮈는 주장한다. 카뮈가 말하는 '역사적 반항'은 1793년 신의 대리자로 여겨진 왕을 살해하여 반항이 혁명으로 변한 날로부터 시작된다. 카뮈는 그 근거를 루소의 '사회계약론'에서 찾는다. 루소의 제자 생-쥐스트가 왕을 시해했다는 것이다. 그리고 이성(절대이성—독재)의 종교가 시작된다. "인간의 위대한 자유라는 것은, 사드의 비극적 성으로부터 포로수용소에 이르기까지, 단지 인간의 범죄의 감옥을 건립하는 데 있었던 것이다.” 푸코의 ‘감시와 처벌’을 연상시키는 이 문장은 또한 리오타르가 인간 진보의 거대이론으로 부른 것 위에 현대정치가 수립되었다고 보는 것을 연상하게도 한다. 따라서 포스트모더니즘은 명백히 루소와 상반된다. 또한 카뮈는 ‘사회계약론’이 교리문답의 어조를 띤 독단적 언어를 가졌다고 보았다.“ 그 새로운 종교의 신은 자연과 혼동되는 이성이며, 그 지상의 대표자는 왕이 아닌 일반의지를 지닌 인민이다.” 19세기에는 나폴레옹과 나폴레옹적 철학자인 헤겔이 나타나 절대적이고 추상적인 자유란 이름 아래 테러리즘을 합리화하여 효율성의 시대를 열었다. ‘끊임

없는 논쟁과 권력의지들의 투쟁'으로 요약되는 헤겔의 사관은 파시즘이나 마르크스주의에 이용됐다. 그래서 죽이든가 굴복시키는 일만이 남았다. 죽이는 쪽은 니힐리즘과 테러리즘, 굴복시키는 쪽은 유물론 혁명운동으로 나아갔다. 즉 파시즘과 공산주의다. 그것이 20세기이다. 루소에 대한 최초의 비판자인 19세기의 프루동은 말한다. "사회계약은 각 시민의 복지와 자유를 증대시키는 것이어야 한다. 만일 일부 시민이 계약으로 인해 시민의 다른 일부에게 예속되고 착취된다면, 그것은 계약이 아니라 사기에 불과하다. 그리고 이러한 사기에 대해서는 계약을 해제하는 것이 당연한 권리로 인정되어야 한다." 따라서 프루동은 시민의 자유를 전면 양도함에 의해 성립되는 주권, 그리고 유일한 주권에 기초를 둔 국민국가는 시민의 자유와 다양성을 억압하는 것이므로, 그것은 시민이 언제나 해제할 수 있는 개별 계약에 근거한, 권력의 분산을 가능케 하는 분권화 사회로 대체되어야 한다고 주장한다. 또한 중앙집권국가를 가능케 하는 투표나 법에 대해서도 의문을 제기한다. 소수파는 다수파에 언제나 예속될 수밖에 없기 때문이다.

다들 아는 사건이라 프랑스 혁명을 굳이 설명할 필요가 없어 혁명을 대표하는 그림인 들라크루아의 '민중을 이끄는 자유의 여신'으로 사건을 전개해 보고자 한다. 그림 한가운데에는 하늘에 자욱한 포탄 연기 속에서 여인이 깃발을 들고 민중을 이끌고 있다. 옆에는 총을 든 어린 소년과 총칼로 무장한 민중이 임시로 구축한 바리케이드를 넘어서고 있다. 화면 오른쪽으로는 노트르담 성당이 보인다. 여인이 들고 있는 프랑스 깃발은 프랑스 공화국을, 총을 든 어린 소년은 프랑스의 미래를 상징한다. 국민군으로 참여했던 들라크루아는 자신을 깃발 든 여인 옆에 정장 차림에 모자를 쓰고 총을 든 시민으로 그려 넣었다. 그러나 당대의 비평가들은 이 그림에 대해서 비난을 퍼부었다. 유럽 회화에서는 전통적으로 관념을 의인화하는 경우가 많았다. 다만 이렇게 의인화한 인물은 살아 있는 인간이 아니기 때문에 대리석처럼 하얗고 부드러운 피부로 묘사하는 것이 관례였다. 그러나 들라크루아가 표현한 여신은 그 관례에서 벗어나 있었다. 들라크루아는 여신을 살아 있는 인간의 모습으로 그렸다. 비평가들은 이 여신을 '생선 파는 여자'나 '거리의 창녀'쯤으로 비유하기도 했다. 실제로 들라크루아는 세탁 일을 하던 한 젊은 여자에게서 영감을 얻었다고 한다. 그에게 있어 여신은 단지 관념적인 자유가 아니었다. 그림 속에는 현실에 실존하는 구체적인 여성상이 투영된 것이다. 1830년 7월 혁명은 부르주아 계급이 보수 왕조로부터 시민의 자유와 권리를 쟁취한 것이었다. 그것은 민중의 지지와 투쟁을 통해서 이뤄진 것이다. 당시의 경제 상태는 체제의 변혁을 요구하고 있었다. 영국에서부터 불어닥친 산업화의 파도는 급속한 농업의 해체를 불러왔다.

이러한 과정에서 양산된 무산자 계층은 열악한 경제 상태로 내몰렸고 가난과 기아는 파리 전역으로 퍼져나갔다. 이들은 사회의 전반적인 변화를 요구했지만 부르주아 계층의 이해관계는 달랐다. 이들은 그저 급격한 체제 변화보다는 현재의 체제 속에서 점진적인 개혁을 원했다. 이들은 오히려 노동계급에 의한 혁명적인 폭동사태가 발발할 것을 두려워했다. 결국 1830년 7월 혁명은 미완에 그치고 말았다. 민중 계급은 기존 체제 내에서 경제적 토대를 장악한 부르주아 계층의 이해관계를 넘어설 만한 조직적인 힘을 갖고 있지 못했기 때문이었다.

빅토르 위고의 「레미제라블」은 바로 이러한 혁명적 상황의 프랑스를 배경으로 쓰인 소설이다. 18세기 프랑스 사회는 전례 없이 빈부격차가 심화된 시기였다. 참을 수 없는 가난으로 빵 한 조각을 훔친 장발장 역시 이러한 시대적 상황에서 탄생한 인물이다. 프랑스 역사에서 혁명의 서막을 알린 1789년 프랑스 대혁명은 바로 당시 프랑스 사회의 빈부격차로 인한 가난과 굶주림, 그리고 신분제에 대한 민중의 불만이 촉매가 돼 일어난 폭동의 결과였다. 대혁명 이후 프랑스 사회는 더 걷잡을 수 없는 전쟁과 혁명의 소용돌이 속으로 빠져들면서 경제는 파탄 나버렸다. 물가는 치솟고 민중의 고통은 극에 달했다. 혁명을 주도했던 로베스피에르는 1793년 정권을 장악한 뒤 치솟는 빵값을 억제하기 위해 가격에 상한을 정하는 '최고

가격제'를 실시했으나 역부족이었다. 2년 후 그의 실각과 함께 최고가격제는 폐지되고 물가는 다시 폭등했다. 장발장이 조카를 위해 빵을 훔치다 잡힌 것은 그 이듬해인 1796년이었다.

「레미제라블」에서 묘사된 프랑스 시민의 저항과 바리케이드와 총칼로 무장한 사람들의 모습은 바로 1832년 6월 시민저항군의 상황을 배경으로 한 것이다. 이 6월 봉기는 2년 전 7월 혁명의 실패와 이들 결과에 대한 불만이 다시 폭발한 것으로 낮은 최저임금과 가난, 그리고 당시 콜레라의 만연으로 수만명이 사망하는 등 질병의 확산이 도화선이 된 것이었다. 소결해 보면, 유럽에 자본주의가 도입된 지 150여년이 지났지만, 프랑스 민중의 삶은 여전히 어려웠다. 단지, 빵이 필요해서 혁명을 일으켰지만, 수립된 정권마다 시민들의 열망에 부응하지 못했다. 정확히 말하자면, 시민들은 산업 자본주의를 받아들일 의식이 없었다. 자본주의 시스템 도입은 나폴레옹이 붕괴된 후 1830년이후에 도입된다. 역으로, 이렇게 자본주의가 늦게 도입된 이유는 프랑스 혁명의 결과가 아닐까 한다.

5.광주항쟁과 프랑스 혁명

광주 항쟁의 발생 배경은 이렇다. 1979년 10월 26일, 중앙정 보부장 김재규가 박정희 대통령을 암살한 10·26 사건으로 유신 체제는 막을 내렸다. 유신헌법을 개정하고 민주적인 헌법으로 되돌아야 한다는 움직임 속에서, 최규하 대통령은 11월 7일에 긴급조치를 해제해 긴급조치에 의해 금지됐던 개헌 논의를 허용했다. 하지만 12월 12일에 계엄사령부 합동수사본부장 전두환 보안사령관이 계엄사령관 정승화(육군 참모총장)를 체포해 쿠데타를 일으킴으로써, 국민들의 민주 정권 수립 요구는 결국 이루어지지 못했다. 전두환은 1980년 2월에 보안사령부에 지시를 내려 K-공작계획을 실행해 민주화 여론을 잠재우고 군부의 정치 참여를 정당화하는 방향으로 여론을 조성해 나가고 있었다. 1980년 5월 초순경 보안사령관 겸 중앙정보부장 서리 전두환의 지시에 따라 보안사에서는 국회와 내각을 무력화하고 정국을 안정화하려는 의도에서 '비상계엄 전국확대', '국회 해산', '국가보위 비상기구 설치' 등을 골자로 하는 집권 시나리오로 '시국수습방안'을 기획했다. 비상계엄 확대조치와 국가 보위 비상기구를 설치해 신군부에 대한 국민의 저항을 탄압하면서 신군부가 정국을 주도하고, 국회 폐쇄와 정치인 체포로 신군부의 안정적인 정국 장악을 담보한다는 것이 시국수습방안을 기획한 의도였다. 중앙정보부는 일본 내각조사실의 첩보를 토대로 5월 10일에 대북 특이동향을 경고하는 보고서(5월 10일 언저리에 김일성이 루마니아에서 급히 귀국하였다), '북괴남침설'을 작성했고, 5월 12일 심야에 임시 국무회의에서 관련 내용을 보고했다. 육군본부 정보참모부는 5월 11일에 '북괴남침설'과 같은 첩보는 가치가 없다고 결론 내린 상황이었다. 미국 국무부 대변인은 같은 날에 미국은 '북괴남침설'과 관련된 어떤 정보도 입수하지 못했다고 발표했다. 훗날 남침설을 제보했다고 알려진 당시 일본의 내각 조사실 한반도 담당반장은 "그런 구체적인 내용을 말한 적도, 그런 정보도 없었다."라고 밝힌 바 있다.

한편 같은해 5월 중순부터 정부와 국회에서는 민주화 일정을 앞당기고 있었다. 5월 12일에 신민당과 공화당 양당 총무들은 개헌안을 접수하였고, 비상계엄 해제 등의 정치 현안을 논의하기 위해 5월 20일 10시 임시국회의 소집을 공고했다. 같은 날 신현확 총리는 국회와 협의를 통해 헌법을 개정하고, 개헌 일정을 앞당긴다는 내용의 담화를 발표했다. 1980년 5월 초부터 신군부 세력의 정치 관여를 반대하기 위해, 학생과 시민 10만여 명이 모여 서울역에서 시위를 벌였고, 5월 15일 시위대 대열 속에 속했던 청년 한 명이 버스를 탈취하여 저지선을 돌파, 전경에 돌진하여 전경 이성재 일경이 사 망하고 4명이 중상을 입는 사고가 발생했다. 신군부는 5월 17 일 24시에 5·17 비상계엄 전국 확대 조치를 내려 18일 1시에 계엄령이 전국으로 확대됐다. 신군부는 같은 날 새벽 2시에 국회를 무력으로 봉쇄해 헌정중단 사태가 발생했다. 김대중, 김종필 등 정치인 26명은 합동수사본부로 연행됐고, 2,600여 명의 학생·교수·재야인사 등이 체포됐다. 신민당 총재 김영삼은 무장헌병들에게 가택 연금됐다. 신군부가 이날 내린 비상계엄 전국확대 조치·정치 활동 금지·휴교령 등의 민주주의 역행 조치에 항의해, 전남대학교 학생들은 5월 18일 오전에 학교 정문 앞에서 시위를 했고, 공수부대는 학생들을 구타·폭행으로 진압했다. 과격한 공수부대의 투입은 5·18 광주 민주화 운동의 직접적인 원인이 됐다. 공수부대의 투입에는 향토 사단장 정웅의 개입이 있었다. 이에 대해서 정웅은 광주법정에서까지 부정을 하지만, 투입됐던 진압군의 증언에 의하면 정웅은 시위대의 강경진압/해산/ 전원체포를 주문한다. 공수부대의 폭력적 진압의 배경은 다음과 같다. 신군부는 집권 시나리오에 따라 이루어질 조치에 대한 반대 집회가 있을 것으로 예상하면서, 전두환(보안사령관)·

황영시(육군참모차장)·정호용(특전사령관) 등 신군부 핵심세력은 진압병력 투입 및 강경진압 방침을 결정했다. 시국수습방안은 계엄 확대와 동시에 공수부대를 투입해 과감한 방법의 타격으로 시위대를 진압한다는 지침이 즉각 실행될 것을 전제로 하는 것이었다.

1980년 3월 4일부터 3월 6일까지 수도경비사령부에서는 '제1 차 충정회의'에서 군의 투입을 요하는 사태 발생 시 강경한 응징조치가 필요하다고 내려졌으며, 이미 80년 초에 학생 시위가 가열될 것을 대비해 전국 군 부대에 충정훈련이 강도 높게 실시됐다. 5월 10일부터 2군사령부에서는 광주·대전 등에 제7 공수여단을 배치하는 방안을 의논했다. 5월 14일부터

제31사단은 광주 지역의 주요 보안 목표를 점거하기 시작했으며, 5 월 15일 제7공수여단은 광주·대전으로 이동할 준비를 마쳤다. 광주 시내에서의 시위 진압에 투입된 한 공수부대원은 시위 진압이 해산 위주가 아닌 체포 위주였기 때문에 과격진압이 발생했다고 진술했다. 실제로 계엄사령부와 2군사령부 등 체포 위주로 진압하라는 상부의 지시는 공수부대원들의 과격진압을 부채질했다. 광주에서 시위가 계속되자 계엄부사령관인 육군 참모차장 황영시는 강력하게 진압하도록 지시했다. 5월 18일 23시 2군사령관의 강조 사항이 각 공수부대에 지시됐다. 이 지시는 "공수부대 시내 출동, 융통성 있게 운영"하며, "전가용 작전부대 투입"하여 "주모자 체포"하고 "단호한 조치"를 취하라는 것이었다. 같은 날 내려진 지시는 "포고령 위반자는 가용수단 동원 엄중 처리"하며 "소요자는 최후의 1 인까지 추격하여 타격 및 체포"토록 지시했다. 이같은 지침으로 인해 현장에 투입된 공수부대원들은 더욱 과격한 진압에 나서게 되었다. 계엄사는 비상계엄 전국 확대와 김대중 연행에 항의하는 광주 시민들의 시위를 '불순분자'나 '고정간첩'(=고첩)들의 책동으로 몰아갔다. 계엄사령관 이희성은 담화문을 5월 21일에 발표했다. 이 담화문에서 "오늘의 엄청난 사태로 확산된 것은 상당수의 타 지역 불순인물 및 고첩들이 사태를 극한적인 상태로 유도하기 위하여 여러분의 고장에 잠입, 터무니없는 악성 유언비

어의 유포와 공공시설 파괴 방화, 장비 및 재산 약탈행위 등을 통하여 계획적으로 지역감정을 자극, 선동하고 난동 행위를 선도한 데 기인된 것이다."라고 규정했다. 이렇게 시위를 규정하는 상층부의 인식과 지침들은 공수부대원들에게 일정하게 영향을 미쳤다. 이같은 요인들 때문에 현장에서 시위진압에 나섰던 공수 부대원들은 시위를 '불순분자'의 소행 또는 시위대를 '고첩'으로 규정했고, 이러한 인식은 결과적으로 공수부대원들이 시민들을 대상으로 폭력적이고 가혹한 진압을 하는 배경이 됐다.

이에 대한 미국측 반응은 이렇다. 대한민국 측은 5월 18일 0 시에 시작된 비상계엄 확대 선포 2시간 전에 갑작스럽게 이를 미국에 통보했다. 미국은 한국군 당국이 정치 지도자들을 체포하고, 대학과 국회를 폐쇄하려는 의도를 사전에 알지 못했다. 미국은 5월 18일 오전에 서울과 워싱턴에서 계엄령 실시에 강력하고 맹렬하게 항의했다. 계엄사령부가 5·18 광주 민주화 운동에 동원한 특전사 부대나 20사단 부대는 광주에 투입될 당시나 광주에서 작전을 수행하던 중에는 한미연합사 작전통제권 아래에 있지 않았다. 그 기간에 광주에 투입되었던 한국군의 어느 부대도 미국의 통제 아래에 있지 않았다. 특전사령부 예하 여단은 한미연합사의 작전통제권하에 있었던 적이 없다. 20사단의 경우, 10·26 사건에 뒤따를 혼란에 대비한다는 대한민국 측 요청에 따라, 10월 27일에 20사단 포병대와 예하 3개연대의 작전통제권이 한미연합사에서 대한민국 육군으로 넘어왔다. 그렇기 때문에 미국은 특전사 부대가 광주에 배치된 것을 사전에 몰랐으며, 작전통제권을 행사하지 못했다. 미국 측은 5·18 광주 민주화 운동 초기에 방관적이었다. 5월 18일 자정이 조금 지난 시각에 주한미대사관으로부터 미국 국무부로 타전된 전문에서는 광주에 대한 언급이 없다. 5월 20일까지만 해도 광주에서 일어났던 일들에 대한 미국 측의 인식은 막연한 소문에 불과했고, 공수부대의 광주 과잉진압 문제는 서울에서 일어났던 신군부에 의한 정치탄압 사건에 비해 우선 순위에서 밀려 있었다. 미국의 인식이 바뀌기 시작한 건 5월 21일부터였다. 이 때는 이미 5·18 민주화운동의 비극의 씨앗이 된, 시위 군중에 대한 강압적인 진압이 이루어진 다음에 특전사 부대가 광주시 외곽으로 철수한 시점이다. 미국은 이후에 광주사태에 대한 평가에서 첫 무력 진압이 이루 어진 18일이나 27일의 전면 재진압보다는 5월 21일을 사태의 정점으로 파악하고 있다.

미국은 5월 21일 이후에 신군부와 신군부에 반대하는 대한민국 국민 양쪽으로부터 동시에 입장 표명의 압력을 받았는데, 주한 미국 대사 글라이스틴은 워싱턴에 성명서에 포함시킬 항목을 다음과 같이 제안했다. 우리는 광주에서의 시민 분쟁(civil strife)에 경악하고 있음 (alarmed), 모든 관련 당사자들이 극도의 자제심을 발휘, 평화적인 문제 해결을 위해 대화를 추진할 것을 촉구함. 글라이스틴의 제안대로 이튿날인 5월 22일 오전에 미국 국무부 대변인은 글라이스틴의 문안을 거의 그대로 반영한 성명을 발표했으나 언론을 통제하고 있던 대한민국의 신군부는 미국의 이런 입장이 일반인에게 전달되는 길을 봉쇄해 버렸다. 글라이스틴과 위컴의 오판이었다. 그렇지 않아도 신군부 측에 반감을 가지고 있었던 주한 미군 사령관 위컴은 자신은 광주사태를 사전에 인지하지 못하였으며, 이 일을 벌인 신군부를 두고두고 비난하였다. 당시 신군부는 언론 사전검열을 실시하고 관제보도를 의무화하도록 해 언론을 장악하고 조종했는데, 주한미대사관과 주한미군 사령관 등 관련자들의 항의에도 불구하고, 당시 대한 민국

내 언론이 미국이 신군부의 쿠데타와 5·18 민주화운동 진압을 승인했다는 보도를 쏟아내자 학생운동권 내 미국에 대한 반감이 높아졌다. 이는 부산 미국문화원 방화사건과 강원대학교 성조기 소각사건을 비롯, 1980년대부터 2000년대 까지 발생한 각종 민주화 혹은 반미 집회와 시위의 도화선이 됐다. 5월 22일 오후, 미국에서 열린 정책 검토 위원회(Policy Review Committee)는 "지금까지 우리가 취해온 행동 이상의 일은 할 필요가 없다는 데에 동의하며, 우리는 온건한 방법을 선택할 것을 조언했으나, 대한민국 국민이 질서 회복의 필요를 느낄 경우 무력을 사용하는 것을 배제하지는 않았음"이라는 광주 상황에 대한 방침을 정했다. 글라이스틴과 박충훈 국무총리 서리는 첫 회동을 5월 23일에 두었다. 글라이스틴은 대한민국 측에 5월 17일 자 계엄령 확대 정책이 미국에 충격을 주었다고 말했다. 그는 학생 시위를 확고하게 진압하는 것은 필요할지 모르지만 정치 탄압을 수반한 것은 정치적으로 어리석은 일이며, 결국 광주에서 심각한 사태가 발생하는 데 일조한 것이 틀림없다는 견해를 보였다.

소결하면, 광주항쟁을 좌에서 사회주의 혁명이라 말하는 이가 있다. 광주 시민들이 배가 고파서, 아니면 갑을 관계에서 일을 벌였다는 말이다. 이는 신군부 지침의 북괴 남침설을 동조하는 듯한 서술이다. 이말이 사실이라면, 시민군은 중공이나 북한으로

부터 무기를 지원받아 국군과 미군에 대항해 남한 공산화에 일조하려 했다는 말이 된다. 광주항쟁이 발발할 무렵 김일성은 루마니아를 방문한 후 급히 귀국한 걸로 봐 고정간첩이 광주항쟁에 대한 정보를 준 것으로 보인다. 이것이 사실이라면 고정간첩이 광주 항쟁을 주도했을 법도 하다. 이도 아니라면, 갑을 관계로서 폭정에 항거해서 무기고를 털어서 국군과 대치한다는 것은 반군으로서 국제법상 지위를 갖게 된다. 미얀마는 아직 민주화의 대의를 건 반군이 국제적 지지를 받고 있다. 성공하면 혁명이고 실패하면 반란이다. 그도 아니라면 경제 미개발에 대한 지역적 소외감으로 항쟁했을 경우, 마르크스 논리대로 자본가에 대한 프롤레타리아 유혈

혁명으로 정의되기 보다는 좌에서도 부르주아를 키우면 된다. 프랑스 혁명이후 프랑스는 줄곧 좌 지향이었다. 종교 영향으로 자본주의가 뒤늦게 발달한 무슬림과도 좌는 친하다. 좌 지도부에게 자본주의를 도입하여 외국의 투자 유치를 받을 것을 권한다. 좌는 번듯한 중견 기업이 없다. 은행 대출이자를 죄악시하고, 아는 지인들에게 돈을 빌려 주는 것을 자선행위라 생각하여 돈을 갚지 않아도 그냥 두루뭉술하게 넘어가는 일이 자주 일어날 정도로 인심은 좋다.

6.박정희와 명예 혁명

1979년 10월 거의 7년을 끌어온 박정희 대통령의 철권통치로 불리는 권위주의적 유신지배체제가 급격하게 종료되었다. 그 계기는 10.26사건, 즉 대통령의 최측근 인물인 중앙정보부장에 의해 우발적으로 박대통령이 시해된 긴급사건이 발발하였던 것이다. 이후 도래한 1980년의 "서울의 봄"은 일종의 급격한 긴장완화 분위기와도 유사하였고 자유화에 대한 요구가 서울의 대학들을 중심으로 폭넓게 제기되었다. 그러나 1980 년의 대 정치적 격변은 광주에서 발생하였다. 그해 5월 비상 계엄 아래서 발발한 광주 전남대생들의 시위에 대해 신군부는 강력하게 폭력적 진압에 나섰고 이에 반발하는 광주의 청년들이 다시 폭력적으로 대처하게 되었다. 거의 일주일 이상 지속된 호남지방의 민주화운동과 소요사태의 발발의 배경에는 이 지방 출신 야당지도자 김대중 탄압에 대한 지지층의 반발이 크게 작용했다. 1980년 5월 광주에서 유혈폭력사태와 무정부사태의 장기화는 군에 의한 무력진압이라는 불행한 결과로 귀결되었다. 1980년 5월 광주 민주화운동은 민주화를 기대했던 당시 여론과는 달리 비극적인 결말을 보았다. "유산된 민주화"라고 할 수 있는 광주의 비극적 사건은 이후 등장하는 5공 집권세력에게는 큰 부담이 되었다. 1980년대 초반의 정국에서 정부와 반대파 사이의 협상과 타협은 결코 쉽게 이루어지지 않았다. 신군부의 무력개입을 통한 집권과정이 이미 상당 부분 진행된 상태였고 신군부 중심의 강력한 계엄군의 지지를 얻은 5공화국 집권세력의 위세는 민중항쟁이 좌절된 상황에서 견제될 수 없는 것이었다. 당시에 의회정치과정의 정당성은 군부 권위주의 통치 현실에 의해서 철저하게 무력화되었고 기존 야당세력은 정치활동이 금지된 상태에서 제1야당은 관제야당으로 만들어진 세력이었다. 이런 상황에서 야당은 어떠한 형태의 의미 있는 저항도 한동안 제기할 수 없었고 강력한 언론통제와 사회정화가 집권 세력에 의해 진행되는 동안 들러리 세력에 불과하였다. 이런 상황이 한동안 계속되었지만 마침내 1985년 봄에 국회의원 총선거의 시기를 맞이하여 비로소 새로운 야당 세력이 부활할 수 있었던 것은 군부정권이 동맹국 미국의 자유화요구에 취약하였기 때문이다. 1987년 한국의 민주화는 전두환 5공화국 정부의 경제적 성취 업적에 상당부분 촉발되었다. 1980년대 초반의 전두환 정부의 경제적 안정과 성장은 인상적이었고 여권은 더 큰 목표로 올림픽의 유치를 내걸었다. 전두환 정부는 국내체제가 야당의 비판활동과 시민의 자유권을 허용한다는 인상을 주어 국제 여론에서 개최지로 적합하다는 지지를 받고자 하였고 이것이 자유화 정책을 추진하고 1984년 유화국면을 맞게 된 배경이었다. 1987년 야당과 사회운동권은 직선제 개헌운동을 본격적인 대중운동 단계로 끌어올리기 위한 목표를 놓고서 정부에 강력한 대응체계를 구축하였다. 4월의 전두환 대통령의 호헌정책이라는 강경 입장은 천주교 정의구현사제단의 폭로에 의해 알려진 박종철 고문치사사건에 반발하여 전개된 성난 대중들의 대규모 시위운동의 위세로 말미암아 포기되어야 했다. 1987년 상반기에 가장 주목할 것은 민주화운동세력의 강력한 추진세력의 구심점이 만들어졌고 이들이 대중들의 대규모 지지를 획득하는 데에 성공했다는 사실이다. 이에 못지 않게 중요한 또 하나의 사실은 이런 야당과 시민사회의 공세에 대하여 파국을 선호하지 않으며 합리적이고 온건한 대책을 선호하는 세력이 보수여권 내에 등장하게 된 점이다. 그 중심에는 차기 대선후보로 유력시 되었던 노태우 여당대표가 있었다.

1972년 개정된 한국헌법의 체제는 자유주의적 요소가 약화되고 대통령의 비상대권이 대폭 강화되는 등 권위주의화가 진 행되었다. 그 이후

1979년경 권위주의체제가 급격하게 안팎의 위기로 악화되다가 다시금 신군부에 의한 권위주의 5공화국 정부가 들어섰다. 이후 1987년 권위주의 정부가 16년 만에 변혁적으로 교체가 되는 일련의 사건들이 발생하였다. 그해 5월 박종철 고문 치사사건에 의한 시위의 확산과 민심 이반사태는 이후 사건 진상규명과 민주화를 요구하는 엄청난 수의 시민들이 가담함으로써 불이 붙었다. 5월말 민주화운동의 구심점이 된 운동단체 “민주헌법쟁취국민운동본부”가 결성되었고 당시 급격한 민주화에 따른 혼란과 안보불안에 대한 우려가 있었지만 미국은 중산층이 가담한 한국의 민주화의 배후에서 막후 역할을 하였다고 알려졌다. 전국의 주요 도시의 대로에서 이루어진 각종 민주화의 시위행렬에 학생과 중산층 시민들 참가자가 끊임없이 증가하는 사태가 수 주 동안 지속되었다. 1987년 6월초에 대한민국 전국 대도시들은 거의 치안마비 상태에 이르게 되었고 여당 대표 노태우 의원이 야당과 시민들의 요구를 수용하는 정치적 대 타협 조치를 전격적으로 발표하고서야 그동안의 갈등과 대치정국이 수그러들었다. 노태우 민정당 여권후보는 1987년 6월 야당과 반대파의 시위반대운동이 절정기에 달했을 때에 야당의 요구인 민주화를 받아들이는 전격적인 민주화 지지선언을 채택할 것을 6월 29일 발표하였다. 이른바 6.29민주화선언으로 알려진 그의 발표문에는 5공 권위주의 정권체제 하의 집권 세력 내에서 온건파의 주장을 총괄하는 내용들이 담겨 있었다. 그 주된 내용은 다음의 8개 항목이었다.

1. 조속한 대통령직선제 개헌과 이를 통한 1988년 2월 평화적 정권이양 실시할 것.
2. 대통령 선거법 개정과 자유로운 출마와 공정한 경쟁을 보 장할 것.
3. 김대중을 사면복권 할 것과 시국관련사범들을 석방할 것.
4. 구속적부심 확대와 기본권 강화 조항을 포함시킬 것.
5. 언론기본법의 대폭 개정 또는 폐지를 실시하고 자유언론을 창달할 것.

6. 지방의회 구성 등 지방자치와 교육자치를 실시할 것.
7. 정당의 건전한 활동을 보장하고 대화와 타협의 정치풍토 조성할 것.
8. 과감한 사회정화조치를 단행하고 서민생활 질서를 도모할 것.

이러한 노태우 여당대표의 전격적인 민주화선언은 87년 상반기 내내 제기되었던 반대세력의 요구를 전격적으로 수용하고 체계적으로 정치적 협약의 성격을 가진 선언으로 발표되었다. 8개항을 약속한 6.29선언은 여당의 강경파가 내놓은 내각제 개헌안은 포기하는 대신 야당의 직선제 대통령제안은 선 택하였다. 반면에, 경제 민주화 조치(노동자권리, 임금, 복지)는 빠져 있었다. 어쨌든 이제 여권의 제안으로 등장한 새로운 정치협약에 대한 논의로 모든 민주화의 쟁점들은 정치체제 안으로 수용되게 되었고 이후 민주화를 위한 헌법 개정 문제가 본격적으로 전개되었다. 이런 5공 정부내의 온건파의 관점을 대변한 노태우의 민주화선언은 1987년뿐 아니라 이후 그가 집권한 정부하에서도 국정의 최고의제로 채택되었다. 한국형 민주화의 결정적 계기가 된 노태우의 6.29선언은 민주화 협상의 단계를 급속히 앞당기는 계기가 되었다. 그 결과 7월중에 야당 통일민주당과 여당 민주정의당은 각각 직선제개헌안을 제출하였고 이후에 양당은 단일화안을 작성하기 위한 개헌작업의 논의를 위하여 민정당의 권익현, 윤길중, 최

영철, 이한동 의원과 통일민주당의 이중재, 박용만, 이용희, 김동영 의원이 선정되어 8인회담 중진위원회를 결성하여 협상에 들어갔다. 여당 민정당은 6년 담임의 강력한 대통령제의 유지를 중심으로 하는 헌법 개정안을 제의하였다. 반면에 야당 통일민주당은 4년 중임이 가능한 분산형 대통령제를 요구하였다. 두 개의 개헌안의 절충적 결과로 채택된 것이 최종 87년 9차개헌안으로 5년 단임제의 대통령제였다.

1987년에 주로 이루어진 한국의 민주화는 "아래로부터의 변혁"적 요소와 "위로부터의 변혁"적 요소가 고루 갖추어진 상태에서 매우 긴장 속에서 진행된 변혁적 사건이었다. 이것은 첫째, 아래로 부터 제기된 시민들의 민주화 요구가 더 이상 성공적으로 권위주의적 탄압에 의해 제어될 수 없었던 점에서 시민혁명적 성격을 노정하였다. 특히 1987년 6월 10일 한국 민주화시위에 40만명의 전국도시의 시위자들의 폭발적인 참여가 이루어졌다. 이런 대시위는 도시의 중산층이 대거 가담함으로써만 이루어질 수 있었다. 헌팅턴은 한국에서 서울의 경영직 및 전문직 계층의 동원이 87년 민주적 이행의 가장 중요 요인이었다고 평가하였다. 산업화과정에서 양산된 대도시와 서울지역의 중산층이 결정적 역할을 한 것이고 이런 점에서 한국민주화의 최대상징인 6월 민주화대투쟁은 권위주의 산업화 결과에 영향을 받은 것이라고 언명될 수 있다. 둘째로, 이 사건은 1980년 신군부의 집권과정 중에 발생한 비극적 사건인 광주항쟁에서 제기된 민주화의 요구가 당시에는 좌절되었지만 장기적으로 권위주의정권에 대한 급진 학생운동권 내의 반대운동으로 제기되다가 표면으로 분출되었다고 할 수 있다. 즉, 85년 2월 국회의원 총선거를 둘러싼 운동권 제 세력과 야당과의 대연대가 구축되고 있었다. 즉 신생야당 신민당과 청년, 문화, 지식인 등의 사회세력들의 운동권 간의 연합적 연대가 구축되어 세력융합 현상이 나타났다. 이들의 핵심세력은 학생운동 세력이거나 또는“사회운동권”또는“민중 운동권”이라고도 간주된다. 이들은 이후 박종철 고문치사 사건을 통해 분노한 민심을 국민운동본부를 통해 결집하여 전국적 시위를 개최하여 5공정부의 호헌조치에 대항하였다. 셋째로, 이 사건은 전두환 군사권위주의 정권에 대한 시민층의 저항과 요구를 받아들여 집권층 내에서 개혁파의 중심 인물 노태우 후보가 기성 보수파세력을 밀어내고 민주적 리더로 탄생한 사건이다. 1987년 6월 29일 이전까지 여야는 대치정국을 이어갔다. 그러나 그날 이후 여야는 타협정치를 통해 각각 정치적 양보를 통해 문제해결을 추구하였다. 노태우는 야당과 민주화운동 측의 직선제 개헌안을 수용하여 민주주의의 회복에 동의하는 역사적인 대 타협적 민주화선언을 통하여 정권의 붕괴를 막는 동시에 민주적 전환기의 유력한 정치 지도자로 국내 외 여론의 큰 주목을 받게 되었고 이후 차기 대통령으로 선임된다. 넷째로, 신민당의 지도자들, 특히 김영삼과 김대중은 정권의 즉각 퇴진 요구를 양보하고 대신 직선제 개헌요구를 관철함으로써 새로운 정치지도자 반열에 오를 수 있었다. 이들은 민주화운동 측의 요구가 급진적 형태로 분출될 때에 사회 혼란이 조성되고 군의 정치개입이라는 역효과를 초래할 것을 우려해 타협에 임하였다. 이들은 또한 강력한 차기 대통령후보로 입지를 강화하였고 1990년대에 대통령으로 당선된다. 1985년 2월 총선에서 야당지도자로서 헌법개정 요구를 제기한 이들은 1987년 대규모의 민주화시위의 전개과정을 통해 대중들 인식에 한국의 민주주의를 대변하는 상징적 지도자들로 강렬히 각인되었다.

소결하면, 629선언은 1988년 6월 29일 노태우 대통령과 레이건 미국 대통령이 공동 발표한 선언으로, 한반도 평화와 통일을 위한 공동의 노력을 약속하는 내용을 담고 있다. 그러나 이 선언에는 노태우 정부와 미국 정부가 비밀리에 합의한 몇 가지 밀거래 내용도 포함되어 있다. 이 밀거래는 크게 두 가지로 나눌 수 있다. 첫 번째는 한국의 대미 무역적자를 완화하기 위한 조치이다. 미국은 한국에 자동차, 전자제품 등 한국의 수출품에 대한 관세를 인하하고, 한국은 미국의 군사비 지출을 늘리기로 합의했다. 두 번째는 한국의 군사적 현대화를 위한 조치이다. 미국은 한국에 F-16 전투기, AWACS 조기경보통제기 등 최신 무기를 판매하고, 한국은 미국의 미사일 방어체계인 THAAD를 배치하기로 합의했다. 이러한 밀거래는 한국의 경제적 이익과 군사적 능력을 강화하는 데 기여했으며, 노태우 대통령 당선의 명분이 되었다. 마르크스는 산업 혁명 말기 프롤레타리아가 혁명을 일으켜 부르주아를 전복시킨다고 주장한다. 그러나, 역사 발달 단계를 목도해 보면, 산업이 발달되면 국민들의 인권 의식도 발달되어 프롤레타리아 혁명이 발생하는게 아니라 독제나 전제정이 민주 자본주의로 전이되는 것을 심심찮게 볼 수 있다. 1970년대 말 이후 10년은 민주정으로 가는 과도기였다고 생각된다. 우리나라에 유혈 사태가 발생된것은 유감이지만, 역사의 흐름으로 봐서 민주정으로 가는 과정이었다. 89년 독일이 통일되고 91년 소련이 붕괴되면서 동유럽에 민주화 열기가 달아올랐다. 그 즈음 중국은 미국의 투자를 받기 시작 했다. 마르크스의 매판자본론이 힘을 잃게되는 근거다.

7.구 소련의 붕괴와 부의 흐름

소련의 느린 붕괴에 결정적인 영향을 미친 요인은 소련의 아프카니스탄에서의 길고 값비싼 전쟁이었다 . 1979년부터 소련군은 아프가니스탄 국경을 통제하고 절실히 필요한 석유 매장량을 확보하기 위해 아프가니스탄 공산당과 함께 아프가니스탄 무자헤딘과 싸웠다. 그러나 소련이 전쟁을 통해 달성하고자 했던 약간의 경제적, 정치적 이익도 엄청난 전쟁 비용으로 인해 사라졌다. 소련군은 탱크

대대, 항공 지원, 전술 핵무기가 포함된 대규모 지상전을 치르도록 훈련받았다. 그들은 아프가니스탄 지형과 무자헤딘의 게릴라 전술을 처리할 장비가 부족했다. 1989년까지 10년 동안 소련은 아프가니스탄 전쟁에 돈과 군대를 쏟아부었다. 그 결과, 약 15,000명의 소련군이 목숨을 잃었고, 50,000명이 부상당했으며, 소련 경제에 500억 달러의 손실을 입힌 것으로 추산된다. 경제가 침체되고, 공산주의 체제의 여론이 빠르게 쇠퇴하던 시절, 궁극적으로 아프가니스탄 분쟁은 설명할 수 없는 소련 금융 시스템과 사회의 많은 손실 중 하나였다. 소련 경제는 자본주의 국가 경제에 영향을 미치는 호황과 불황의 순환을 막기 위해 고안되었다. 그 결과, 소련은 분쟁 시기를 제외하고 1928년부터 1989년까지 대부분 긍정적인 성장률을 유지했다. 그러나 이러한 추세는 항상 지속되지는 않았으며 소비재와 생활 수준을 희생하면서 달성되었다. 1970년대 브레즈네프 시대에는 '침체'라는 용어가 등장하면서 경기 둔화 조짐이 뚜렷이 드러났다. 감소 추세의 원인 중 하나는 비효율적인 계획 경제의 결과였다. 특히 노동과 자본의 상당한 증가를 통해 생산을 확대하는 "광범위한" 정책에서 "집약적" 정책으로 전환하기로 한 1976년 결정이 있었다. 자원을 보다 효율적으로 사용함으로써 성장이 이루어졌지만, 필수 소비재 부족이 증가하고 부패가 증가했다. 이는 소련 내에서 활발한 "제2 경제", 즉 암시장을 창출한 두 가지 요인이었다. 소비재와 빵, 우유, 고기 같은 필수품목의 부족이 너무 널리 퍼져서 사람들은 전국 각지에서 모스크바로 통근하여 공산당 엘리트를 위해 특별하게 구비된 슈퍼마켓에서 쇼핑을 했다. 소위 "소시지 열차"라고 불리는 이 열차는 1980년대 소련의 일상 생활의 특징이었다. 그 결과, 소련의 많은 사람들에게 공산주의의 혜택은 자본주의의 혜택에 비해 눈에 띄지 않았다. 과잉 고용으로 인해 노동 생산성도 감소했다. 자본주의 체제와 달리 열심히 일하지 않으면 일자리를 잃고 중요한 사회적 혜택을 잃을 염려가 없었다. 이를 수행할 사람보다 일자리가 더 많았다. 결과적으로 노동자들은 해고될 가능성이 낮았지만 만약 해고된다면 헌법적으로 노동이 보장되어 있어 쉽게 일자리를 찾을 수 있었다. 관리자들은 때때로 직원들이 떠나는 것을 막기 위해 직원들에게 초과 급여를 지급했다. 게다가, 소련은 천연가스와 석유 같은 자원이 풍부함에도 불구하고 이러한 수출품의 시장 가격에 경제가 의존하고 있었다. 그리고 1980년대 가스와 석유 가격이 하락세를 보이자 소련의 경제성장은 극도로 제한되었고, 이는 동유럽, 쿠바, 아프가니스탄 전쟁, 체르노빌 사태 등에서 영향력을 유지하기 위한 재정적 비용으로 더욱 악화되었다

미하일 고르바초프는 1996년 출간한 회고록에서 소련이 붕괴한 진짜 원인은 체르노빌 원전사고였다고 썼다 . 1986년 4월 26일, 체르노빌 원자력

발전소의 4호기 원자로가 안전 시험 중 치명적인 고장을 겪었고, 폭발로 인해 원자로 건물의 지붕이 찢어졌다. 그 결과 방사능이 드높은 먼지더미와 잔해물이 넓은 지역에 퍼졌고, 머지않아 서구 국가들은 세계 어디선가 지금까지 본 적 없는 규모의 원전 사고가 일어났다고 경고하고 있었다. 한편, 인근 프리피야티 마을과 소련에 거주하는 수천 명의 주민들은 무슨 일이 일어났는지 전혀 알지 못했다. 그래서 수백만 명의 도시인 키예프 시민들이 소련의 5월 1일 휴일을 축하하기 위해 행진하는 동안 원자로는 계속 불타면서 방사성 화학 물질을 공기 중으로 뿜어냈다. 결국 미하일 고르바초프와 소련은 엄청난 국제적 압력을 받아 핵사고가 발생했다는 사실을 인정할 수밖에 없었다. 그 결과, 소련 국민들은 방사성 잔해 청소, 화재 진압, 원자로 봉쇄를 돕기 위해 소집되었다. 전체적으로 약 80만 명의 소련 예비군이 청소 과정을 위해 소집되었으며, 그 비용은 약 2,350억 달러로 추산됩니다. 그러나 체르노빌의 실제 비용, 그리고 고르바초프와 소련 역사가들이 이를 소련 붕괴의 실제 원인으로 간주하는 이유는 아마도 인명 피해와 공산주의 체제에 대한 믿음의 상실 때문일 것이다. 수천 명이 원자로 주변 30km 출입 금지 구역에서 대피했으며 다시는 집으로 돌아오지 못했다. 개와 고양이는 음식을 찾아다니도록 방치되었고, 가족사진은 여전히 벽에 걸려 있었다. 그리고 고르바초프의 글라스노스트 정책 , 즉 '개방'정책에 따라 진실이 드러나기 시작했다. 진실은 소련 전역에서 작동 중인 수십 개의 원자로와 동일한 체르노빌 원자로의 설계에 결함이 있는 것으로 알려졌으며 실제로 소련 전역과 심지어 4호 원자로에서 소규모 사고의 원인이 되었다는 것이다. 이러한 경제적 비용과 소련 체제에 대한 신뢰의 상실은 소련 공산주의 관의 마지막 못이었다.

미하일 고르바초프는 전임자가 사망한 후 1985년 소련 공산당 서기장으로 선출되었다. 그는 젊고 신선하며 활력이 넘치는 존재감과 소련 공산주의에 대한 정통성 때문에 선택되었다. 그는 부패를 비난하고 평등에 기초한 평화 공존, 민족 해방과 자결, 군비 경쟁 종식과 같은 정책을 말했다.

1986년 2월 당 회의에서 미하일 고르바초프는 페레스트로이카, 즉 경제 "구조 조정"의 필요성을 논의했습니다 . 페레스트로이카 에 대한 그의 정의는 다음과 같았다.

사회경제적 영역에서는 기계 제조 단지를 현대화하고 이를 바탕으로 국가 경제의 계획적인 재건과 사회적 방향 전환을 가져온다. 계획을 화폐 교환 관계 개발과 광범위하게 연결한다. 국가 보조금 없이 기업의 재정적 자립과 자체 자금 조달에 필요한 경제 조건을 조성하고 주요 과학 기술 단지를 조성한다.
정치 분야에서는 모든 수준에서 소비에트 또는 평의회를 민주화한다. 지역, 영토, 공화국의 권리와 권한을 확대한다.

외교 정책은 핵전쟁 방지를 필두로 대결에서 진정한 군축으로 전환한다. 사회주의적 화합을 강화한다.

즉, 경제 인프라를 개선하고, 기술 분야에 지속적으로 막대한 투자를 하며, 기존 정치 시스템에 대한 참여를 늘리는 것이다. 페레스트로이카에 대한 미하일 고르바초프의 해석은 수개월에 걸쳐 다양해졌으며 그 목표에 대한 다양한 인식이 확립될 수 있었다. 일부의 목표는 사회주의의 일부 측면을 개혁하는 것이었다. 그러나 다른 사람들에게는 이 새로운 정책이 사회 민주주의, 시장 사회주의, 전면적인 자본주의와 같은 완전히 다른 시스템을 향한 추진을 의미했다. 다른 사람들에게는 그것이 단지 개인적인 풍요의 원천일 뿐이었다. 한편, 협동조합의 조합원은 비조합원을 고용할 수 있으므로 자본주의 체제에서와 유사한 일종의 착취적인 노동자 대 상사 관계를 구축할 수 있었다. 처음에는 협동조합이 식당, 상점 등 소규모 기업이었지만, 결국에는 기업 내 소수의 사람들에게 큰 이익을 주는 일종의 포켓뱅크 시스템으로 발전하기 시작했다. 1990년대에 엄청나게 부유한 과두정치/갱단 지도자가 된 많은 "신러시아인"은 협동조합 은행에서 시작했다. 공중보건과 노동생산성을 높이기 위한 반알코올 캠페인도 있었지만 대부분 실패했다. 사람들은 술을 더 많이 마시거나 불법적으로 술을 만들어 부자가 되었다.

페레스트로이카와 함께 글라스노스트(Glasnost) , 즉 개방 정책이 시행되었다. 처음에는 단어에서 알 수 있듯이 내부 및 외부 사건 측면에서 정확히 무슨 일이 일어나고 있는지, 그리고 당의 정책이 무엇인지에 대해 더 많은 투명성과 홍보를 제공하는 역할을 했다. 그러나 이는 또한 비효율성, 소련의 실패, 부패를 드러냈다. 이 정책은 체르노빌 재해를 소련 공산주의에게 더욱 큰 재앙으로 만들었다. 검열은 완화되었고, 언론에 공개된 공산당 정책에 대한 비판이 더 많아졌다. 당이 언론에 미치는 전반적인 영향력은 감소했다. 예를 들어, 미국과 기타 서방 국가들은 이전보다 더 우호적인 방식으로 소개되었는데, 그 이유 중 하나는 냉전이 끝나갈 무렵의 관계 해빙과 핵전쟁의 위협이 사라졌기 때문이다. 그것은 또한 공산주의 이상을 달성할지 여부에 대한 여론에 큰 영향을 미쳤다. 그것은 환멸을 불러일으켰다. 70년 동안 무의미한 목표를 향해 전진해왔고, 단순히 자유 시장 체제로 전환하면 모두가 사치스럽게 살 것이라고 믿게 된 사람들이 더 많아졌다. 소결하면, 개방 개혁 정책의 지향점이 어디인지 드러나지는 않지만, 소련 지도부는 공산주의를 지향하지는 않았던 것은 확실하다. 사회주의의 한계를 인식한 러시아 정부는 국가 계획 하에 사회주의에서 다른 시스템으로 빠르게 전환하려고 하다가 사회 내에서 이는 불협화음으로 운명처럼 표류하였다.

8.세계대전

전 세계 천연자원의 새롭고 공정한 분배를 위해 나치와 파시스트 침략자들이 자주 표명한 요구를 분석해 보면, 자유 경제의 세계에서는 커피를 마시고 싶어하지만 커피 재배자가 아닌 사람이 그 대가를 지불해야 한다. 독일인이건, 이탈리아인이건, 콜롬비아 공화국 시민이건 간에 그는 동료들에게 봉사를 해야 하고, 금전적인 수입을 벌어야 하며, 그 중 일부를 원하는 커피에 써야 한다. 자국 국경 내에서 커피를 생산하지 않는 국가의 경우 이는 수입되는 커피에 대한 비용을 지불하기 위해 상품이나 자원을 수출하는 것을 의미한다. 그러나 히틀러와 무솔리니는 문제에 대한 그러한 해결책을 상상하지 않는다. 그들이 원하는 것은 커피 생산국을 합병

하는 것이다. 그러나 콜롬비아나 브라질 시민들은 독일 나치나 이탈리아 파시스트의 노예가 되는 데 열의가 없기 때문에 이는 전쟁을 의미한다. 또 다른 놀라운 사례는 면화산업의 사례이다. 100년 이상 동안 모든 유럽 국가의 주요 산업 중 하나는 면방직과 면제품 제조였다. 기후가 좋지 않아서, 유럽에서는 목화를 재배하지 않는다. 그러나 1860년대 미국 남북전쟁 중 남부 지역의 목화 공급이 중단되었던 시기를 제외하면 공급은 항상 충분했다. 유럽의 산업 국가들은 국내 소비에 필요한 것뿐만 아니라 면화 제품의 상당한 수출 무역을 수행하는 데 필요한 만큼의 면화를 획득했다. 그러나 제2차 세계 대전이 시작되기 직전 몇 년 동안 상황이 바뀌었다. 세계 시장에는 여전히 원면 공급량이 충분했다. 그러나 대부분의 유럽 국가에서 채택한 외환 통제 시스템으로 인해 민간 기업가는 생산 과정에 필요한 면화를 모두 구매하지 못했다. 독일 면제품 산업의 쇠퇴에 대한 히틀러의 기여는 생산을 제한하고 노동력의 상당 부분을 해고시키는 것으로 구성되었다. 히틀러는 해고된 노동자들의 운명에 대해 별로 걱정하지 않았다. 그는 그들을 군수공장으로 보내 일하게 했다. 말하자면, 자유무역과 자유 경제의 세계에서는 무장 공격에 대한 경제적 원인이 없다. 그러한 세계에서는 어떤 개인 시민도 지방이나 식민지를 정복하여 이익을 얻을 수 없다. 그러나 전체주의 국가의 세계에서 많은 시민들은 자원이 풍부한 영토를 합병함으로써 물질적 복지가 향상될 수 있다고 믿게 될 수 있다. 20세기의 전쟁은 확실히 경제 전쟁이었다. 그러나 그것은 사회주의자들이 우리에게 믿게 하는 것처럼 자본주의에 의해 야기된 것이 아니다. 그것은 완전한 정치적, 경제적 전능함을 목표로 하는 정부에 의해 야기된 전쟁이며, 이들 국가의 잘못된 대중의 지지를 받아왔다. 전쟁의 주요 침략국인 나치 독일, 파시스트 이탈리아, 일본 제국은 목적을 이루지 못했다. 그들은 패배했으나 그들은 나중에 다시 시도할 수도 있다. 그들의 가짜 철학, 즉 전체주의 신조는 전쟁 외에 인민의 물질적 조건을 개선하려는 다른 방법을 알지 못하기 때문이다. 전체주의자들에게 정복은 경제적 목적을 달성하기 위한 유일하게 실행 가능한 정치적 수단이다.

모든 국가와 모든 시대의 모든 전쟁이 경제적 고려, 즉 패자를 희생하여 침략자를 부유하게 만들려는 욕구에서 동기가 부여되지는 않는다. 16세기와 17세기의 십자군 전쟁이나 종교 전쟁의 근본 원인을 조사할 필요는 없다. 말하자면, 우리 시대의 큰 전쟁은 특정한 경제적 사고방식의 결과였다. 제2차 세계대전은 확실히 백인과 유색인종 사이의 전쟁이 아니다. 영국인, 네덜란드인, 노르웨이인과 독일인, 프랑스인과 이탈리아인, 중국인과 일본인을 구분하는 인종적 차이는 없다. 이것은 가톨릭과 개신교 사이의 전쟁이 아니다. 결국, 두 호전적인 진영 모두에는 가톨릭교인과 개신교인이 있다. 또한, 민주주의와 독재의 전쟁이 아니다. 몇몇 유엔(특히 소련)이 "민주적"이라는 명칭을 주장하는 것은 다소 의심스럽다. 반면, 나치 독일과 동맹을 맺은 핀란드는 민주적으로 선출된 정부를 갖춘 국가이다. 최근 전쟁이 경제적 고려에 의해 동기가 부여되었다는 것은 침략자의 정책을 정당화하기 위한 것이 아니다. 특정 경제적 이익을 얻기 위한 그 수단을 볼 때 침략과 정복 정책은 자멸적인 정책이다. 단기적으로는 기술적으로 성공하더라도 장기적으로는 공격자가 목표로 하는 목적을 결코 달성하지 못할 것이다. 현대 산업주의의 조건 하에서는 '신질서'라는 이름의 나치 계획경제와 같은 사회 시스템에 대해서는 의문의 여지가 없이 노예 경제는 산업 사회를 위한 방법이 아니다. 나치가 적들을 정복했다면 그들은 문명을 파괴하고 야만성을 되찾았을 것이다. 그들은 확실히 히틀러가 약속했던 것처럼 천년의 새로운 질서를 세우지는 않았을 것이다. 따라서 주요 문제는 새로운 전쟁을 피하는 방법이다. 더 나은 국제 기구를 설립하는 데서 답을 찾을 수는 없다. 더 나은 세계 법원을 설립하는 문제도 아니고, 세계 경찰력을 운용하는 문제도 아니다. 진짜 문제는 모든 국가, 적어도 세계에서 가장 인구가 많은 국가를 평화를 사랑하는 국가로 만드는 것이다. 이는 자유 기업으로 돌아가야만 달성될 수 있다. 전쟁을 피하려면 전쟁의 원인을 제거해야 한다. 우리 시대의 가장 큰 우상은 국가이다. 국가는 꼭 필요한 사회 기관이지만 신격화되어서는 안 된다. 그것은 신이 아니다. 그것은 필멸의 인간의 장치이다. 우리가 그것을 우상으로 만든다면, 다가올 전쟁에서 우리 젊음의 꽃을 그에게 바쳐야 한다. 지속적인 평화를 이루기 위해 필요한 것은 정치적 이념의 변화와 건전한 자유 시장 경제 체제로의 복귀이다.

9.북구 3국 명예 혁명의 퇴조

서유럽의 좌파 정당 지지 감소에 대한 많은 분석은 계급과 가치 구조의 변화를 강조한다. 20세기 후반 서유럽 제조업의 쇠퇴는 노동계급과 노동조합을 약화시켰고, 좌파의 전통적인 투표 기반을 축소시켰으며 좌파의 가장 중요한 계열사였던 조직의 비중을 축소시켰다. 같은 시기에 서구 사회에서는 자기 표현, 환경주의, 세계주의, 성의 자유, 성평등 등 탈물질주의적 가치가 새롭게 부각되었다. 그러한 가치관을 지닌 유권자들은 스스로를 좌파라고 생각했지만, 그들은 국가 정체성에 집착하고 법과 질서를 우선시하며 환경 보호보다 성장을 선호하는 오랜 좌파 유권자들과는 달랐다. "신" 좌파 유권자와 "기존" 좌파 유권자 사이의 분열은 사회주의 정당과 사회민주주의 정당을 갈등과 혼란으로 만들었다. 공산주의 이후 동유럽에서 좌파의 종말에 대한 대중적인 설명은 현직에 반대하는 편견을 강조한다. 이 관점에서 볼 때, 강력한 정당 정체성이 없이 환멸을 느낀 유권자들은 단순히 현직 의원들을 공직에서

쫓아내는 방식으로 처벌했다. 이로 인해 각각 다소 개혁된 전 공산당 후계 정당과 민주적 중도우파로 대표되는 (온건 및 급진)개혁파 사이의 권력 교체가 발생했다. 다른 설명에서는 좌파에 대한 지지율 하락이 약한 당 조직, 내부 갈등, 부패 스캔들 때문이라고 설명한다. 이러한 모든 요인을 고려해 볼 가치가 있지만 그것만으로 좌파의 쇠퇴를 설명할 수는 없다. 이러한 추세는 서유럽이나 동유럽, 심지어 유럽에만 국한되지 않기 때문에 설명은 지역 수준의 발전보다 더 넓은 의미를 포함해야 한다. 우리는 실제로 유럽과 세계 다른 지역에서 좌파가 쇠퇴하는 데에는 공통적인 요인이 있다고 주장한다. 즉, 좌파가 경제 문제에서 중도로 이동하고, 특히 민영화와 같은 "신자유주의" 개혁을 수용했다는 것이다. 공공 부문의 일부를 규제하고, 세금과 복지비를 인하하고, 기업과 금융 부문의 규제를 완화한다. 이러한 변화는 단기적으로는 어느 정도 의미가 있었지만 장기적으로 보면 해롭고 어쩌면 치명적일 수도 있는 결과를 가져왔다. 이는 좌파의 독특한 역사적 프로필을 희석시켰다. 신자유주의 개혁과 2008년 금융위기의 여파로 인해 널리 퍼진 불만을 사회주의 정당과 사회민주주의 정당이 활용할 수 없게 만들었다. 좌파는 신자유주의에 대한 대안을 제시하지 못하고, 경제적 또는 계급적 갈등보다는 문화적, 사회적 갈등을 부추기는 포퓰리즘적 우파에 밀려났다.
그리고 좌파의 쇠퇴는 민주주의의 대

의성을 훼손했다. 좌파는 소수자와 약자의 권리를 보호하고, 사회의 공정성을 증진하는 데 중요한 역할을 해왔다. 좌파의 쇠퇴는 이러한 가치를 지키는 목소리가 약화되는 것을 의미한다. 더욱이, 이러한 변화와 그 결과는 자연주의적, 포퓰리즘적 우파의 부상과 오늘날 서유럽과 동유럽은 물론 세계의 다른 지역에서 민주주의가 직면하고 있는 더 넓은 문제에 결정적인 역할을 했다.

자본주의에 대한 반발이 현대 좌파의 존재 이유이다. 18세기와 19세기에 자본주의가 출현했을 때, 그것은 전례 없는 경제적 성장과 혁신을 가져왔지만, 동시에 엄청난 경제적 불평등과 불안, 그리고 엄청난 사회적 혼란을 가져왔다. 이에 대응하여 마르크스주의를 이념적 기준으로 삼는 국제 사회주의 운동이 등장했다. 19세기 후반에 이르러 이 운동은 자본주의 발전을 다루는 방법에 대한 서로 다른 견해로 인해 분열되었다. 칼 마르크스의 20세기 중반 예측과 달리 자본주의는 붕괴되지 않았다. 따라서 좌파의 일부 사람들은 역사가 흘러가기를 기다리기보다는 좌파들이 자본주의의 종말을 가져오기 위해 행동할 혁명적 전위를 형성해야 한다고 주장했다. 러시아의 블라디미르 레닌(1870~1924)은 이 입장의 가장 중요한 옹호자였으며 그의 추종자들은 공산주의자가 되었다. 대신 또 다른 분파는 자본주의 개혁이 가능하고 바람직하다고 주장했다. 그들은 좌파가 자본주의를 초월하는 데 초점을 맞추는 것이 아니라 오히려 좌파의 엄청난 생산 능력이 파괴적인 목적보다는 진보적인 목적에 봉사하도록 보장해야 한다고 주장했다. 독일의 정치 사상가 에두아르트 베른슈타인(1850~1932)은 이 견해의 가장 영향력 있는 옹호자였으며 그의 추종자들은 사회민주주의자가 되었다. 이러한 사회민주주의적 전망은 낙관적이었고 심지어 이상주의적이기도 했다. 공산주의자들이나 다른 사회주의자들과는 달리, 사회민주주의자들은 더 나은 미래를 가져오기 위해 폭력적인 혁명도 자본주의의 붕괴도 필요하지 않다고 주장했다. 대신에 그들은 “정치의 우선성”을 주장했다. 인간은 집단적으로 행동하여 더 나은 세상을 만들기 위해 민주주의 국가의 힘을 사용할 수 있다. 전간기(20-30년대) 동안 좌파 공산주의자들과 사회민주주의자들은 지배력을 위해 투쟁하는 동시에 유럽에서 패권을 놓고 경쟁하는 수많은 다른 정치세력(자유주의자, 파시스트, 보수주의자, 무정부주의자)과도 경쟁했다. 그러나 헝가리에서는 공산주의자들이 잠시 통치했고, 스칸디나비아에서는 사회민주주의자들이 탁월한 정치적 성공을 누렸던 몇 가지 예외를 제외하고는 두 그룹 모두 유럽에서 좌파를 장악하거나 정치 권력을 장악할 수 없었다. 이러한 상황은 1945년 이후 바뀌었다. 동유럽에서는 공산주의자들이 권력을 잡았고, 사회민주주의는 서유럽 좌파를 장악하게 되었으며 이 지역의 전후 질서 형성에 결정적인 영향을 미쳤다.

중도좌파의 쇠퇴는 최근 수십 년 동안의 가장 중요한 추세 중 하나이다. 비록 많은 요인들이 이러한 하락에 기여했지만, 우리는 좌파의 경제관의 변화가 가장 중요하다고 믿는다. 첫째, 이는 단순히 정책의 변화가 아니라 좌파의 프로필, 심지어는 정체성의 극적인 변화였다. 19세기 후반부터 20세기 후반까지 사회민주주의 좌파의 두드러진 특징은 공산주의자, 자유주의자 및 다른 사람들과 달리 민주주의 국가를 이용하여 자본주의의 가장 파괴적인 요인을 완화하거나 심지어 제거할 수 있다는 주장이었다. 물론 이러한 사회민주주의적 견해는 1945년 이후 서유럽에서 마침

내 성공적인 민주주의가 구축된 전후 질서의 기초이기도 했다. 20세기 후반 사회민주주의 좌파의 경제 진로 전환은 경제의 심각한 약화를 수반했으며, 독특하고 매력적으로 다가왔다. 그래서 일단 좌파의 신자유주의 정책이 경제적, 사회적으로 부정적인 결과를 가져오자 많은 유권자들은 좌파에게 투표할 이유가 전혀 없다고 결정했다. 둘째, 좌파의 경제관의 변화에 초점을 맞추면 왜 좌파 정당들이 서유럽과 동유럽은 물론 라틴 아메리카와 같은 지역에서도 어려움을 겪고 있는지 이해하는 데 도움이 된다. 케네스 로버츠(Kenneth Roberts)가 주장하는 것처럼, 포퓰리즘 운동은 베네수엘라, 볼리비아, 에콰도르와 같은 국가에서 특히 나타날 가능성이 높았으며, 그곳에서 신자유주의 개혁은 "'미끼와 전환' 방식, 즉 기성 중도좌파나 기득권 좌파나 좌파가 이끄는 포퓰리즘 정부에 의해 시행되었다." 그러한 경우, 개혁에 의해 "뒤쳐진" 사람들은 더 이상 그들의 불만을 해결하기 위해 전통적인 좌파 정당에 의지할 수 없었고 대신 반체제 정당과 시위로 눈을 돌렸다.

셋째, 좌파의 경제관의 변혁으로 인해 열린 정치적 공간은 포퓰리즘의 부상을 설명하는 데 도움이 된다. 서유럽에서는 보수적이거나 자유주의적인 경제 프로필을 지닌 극우 기득권 정당들이 개입주의 국가와 사회안전망의 수호자로 변신하여 세계화와 긴축 정책에 대한 반발을 역이용하여 매력을 확대했다. 동유럽에서 우파 포퓰리스트들은 좌파 경제관의 변화와 좌파 정당이 시행한 정책으로 인해 "뒤처진" 유권자들에게 명시적으로 호소했다. 좌파의 경제관의 변화는 사회적, 문화적 문제의 위상을 높여 포퓰리즘을 촉진하는 데도 도움이 되었을 것이다. 경제적으로 주류 정당을 서로 구별하는 것이 적기 때문에 정당 지도자와 유권자는 다른 차이점에 집중할 더 큰 인센티브를 가졌다. 그러나 논쟁의 주축을 사회, 문화적 문제로 옮기는 것은 주류 좌파보다는 우파에 도움이 된다. 좌파는 역사적으로 계급과 경제적 불만을 옹호할 수 있을 때 가장 잘 해왔고, 사회 및 문화적 문제에 대해 내부적으로 더욱 분열되어 있는 반면, 포퓰리즘 우파는 주로 사회 및 문화적 문제에 대한 "소유권"에 기반을 두고 있으며, 경제적 문제가 정치적 논쟁에서 덜 두드러질 때 이점이 있다. 점점 더 부각되는 사회적, 문화적 문제는 현재 유럽과 그 외 지역의 민주주의가 직면하고 있는 더 광범위한 문제의 핵심이기도 하다. 이러한 문제는 도덕성과 정체성에 대한 문제를 다루고 있다. 그것들은 종종 "둘 중 하나" 또는 "제로섬" 성격을 갖고 있으며 협상하기 어려운 주제가 되는 경향이 있다. 대조적으로, 전후 시대 대부분의 정당 경쟁의 주요 축인 경제적 자원의 분배에 관한 질문은 민주주의의 중심에서 타협과 협상에 더 잘 먹힌다. 마지막으로, 좌파의 우경화는 자유민주주의 규범에 대한 새로운 도전의 기회를 창출했을 수도 있다. 전후

기간 동안 "뒤쳐졌다"고 느끼는 사람들은 자유민주주의 게임 규칙을 따르는 사회민주주의 또는 중도좌파 정당에서 옹호자를 찾을 수 있었다. 그러한 정당들이 이 역할을 포기하기 시작했을 때, 그에 따른 공백은 자유 민주주의에 문제를 일으켰다. 민주주의에서 정당이 수행하는 가장 중요한 역할 중 하나는 시민들에게 제도화된 목소리를 제공하는 것이다. 그러나 만약 전통적인 정당들이 이러한 대표 기능을 수행하지 않는다면, 자신의 이익, 요구, 선호가 지속적으로 무시되고 있다고 믿는 유권자들은 자유 민주주의 자체의 정당성에 의문을 제기하는 정당의 호소에 취약해질 수 있다. 불가능하지는 않더라도 민주주의의 현재 불안을 대표성의 위기와 분리하는 것은 어렵고, 이 대표성의 위기를 사회민주당이나 중도좌파의 쇠퇴와 분리하는 것도 어렵다.

10.중국과 매판 자본론

매판이란, 외세의 정치·경제·무역상의 착취의 매개자가 되는 역할을 하는 자, 즉 경제적 부역자를 일컫는 말이다. 보통 동 아시아나 동남아시아 지역에서 유럽 본사의 이익을 위해 활 동한 현지인 지사 임원들을 매판이라고 한다. 매판"이라는 말은 원래 포르투갈의 식민지였던 마카오와 인접한 광저우 같은 중국 남부에서 서양인 집안에 고용된 현지인 종업원을 일컫는 말이었다. 그러다 동아시아의 국부를 착취하는 서양 기업의 지사에서 일하는 현지인을 말하는 것으로 의미가 확장되었다. 매판들은 남중국의 차, 견직, 면직, 실 무역에 중요한 역할을 했으며, 외국 은행에 협조하면서 근무했다. 이런 경제적 매국행위로 매판들은 막대한 부를 축적했다. 자딘 매터슨의 홍콩 매판 로버트 호퉁은 불과 35세의 나이에 홍콩 제일의 거부가 되었다. 이후 마르크스주의에서는 이 "매판 부르주아"라는 개념을 동아시아 밖의 상인계급에 대해서도 적용하게 되었다. 매판 자본론은 자본주의가 발달한 선진국에서 후진국에 투자를 하되, 그 이윤이 후진국으로 거의 돌아가지 않는 경우를 말한다. 이는 자본주의를 부정적으로 보는 시각에서 나온 개념 이다. 일단 후진국의 경제 규모가 커졌다면 이는 이윤이 많이 축적되었다고 보면 된다. 경제 성장에 맞물려 생활 수준도 향상되는데 사회주의에서는 꿈도 못 꾸는 현상이다. 선진국의 투자를 받지 못하면 경제 성장은 어렵다. 투자를 받아 원금은 갚지 못해도 이자를 갚아 나가며 이윤 축적을 이룰수 있다면 매판 자본이라도 받아들여야 한다.

중국 사회주의는 정치적 투자를 하며, 서구 자본주의는 경제적 투자를 한다. 우리나라의 우는 미국의 경제적 투자를 받아들여 부를 축적했지만, 좌는 중국의 정치적 투자를 받아들여 부의 축적은 고사하고 정치적 내정간섭을 수용해야 했다. 정치적이든 경제적이든 투자자의 원금회수는 어렵다. 중국은 원금을 갚으라고 요구하지만, 미국은 이자만 갚으면 된다는 식이다. 자본가는 파이를 키울 수 없는 곳은 투자하기를 꺼린다. 원금은 받을 수는 없어도 꾸준히 이자는 받아야 하므로 지속적 경제 성장이 어렵다면 자본가는 자본 투입을 하지 않는다. 아프리카는 투자 대비 수익율이 떨여져서, 그동안 무슬림은 종교로 인해 자본주의와 친하지 않아 투자 유치를 받지 못했다.

사회주의는 매판자본론의 대안이 있는가. 중국의 경제 체제에 대해 어느 학자는 국가 자본주의라 말한다. 중국의 경제는 국가가 기업을 키워 국가가 이윤을 착취하는 구조다. 주식도 사고파는 자본주의의 모습을 갖추었지만, 2천년 전 진나라 시황제 시대에 거상을 키웠던 역사를 보면, 중국의 모습은 지난 2천년 간의 모습이 두

루 전개되고 있는 듯 보인다. 좌에 따르면, 자본주의는 자본가의 배만 불리는 시스템이라 한다. 하지만 이는 좀 더 생각해 볼 문제다. 자본가가 만든 상품(금융 상품 포함)을 중산층이 사주질 않으면 자본이 돌지 않는다. 든든한 중산층이 많을수록 시너지 효과로 파이는 커진다. 만약 빈부의 차가 커져 중산층이 줄어든다면 결국은 기본 소득 논쟁을 불러 일으킬 것이다. 물건이 팔리지 않으면 기업이 도산한다. 현 세계 경제는 자유 무역이 아니라 권역별 보호 무역을 취한다. 중국이 한때는 자유무역으로 내수 경제를 도외시 했지만, 지금은 중산층을 키워야 국가 경제가 살아날 것이다.

중국의 일대일로는 정치적 투자의 정석이다. 새로운 무역 항 로를 건설하려는 중국의 시도는 러시아와는 달리 국제 지정 학적 관계상 많은 어려움을 겪고 있다. 이렇게 투자한 자금 회수가 어렵다면 현지 항구를 조차한다거나 지하 자원 채굴권을 얻는다. 혹자는 중국이 패권을 잡을날을 손꼽는다고 말한다. 자본의 흐름이 제대로 중국으로 먹히면 가능할는지도 모른다. 중국은 미국에 비해 에너지, 식량, 기후 조건, 식수, 군사력 등 거의 모든 면에서 열세를 면치 못한다. 미국은 자국 기업인의 중국 투자를 막지 않는다. 매판 자본 투자는 경제적 투자다. 중국 파이를 키워서 재대로 수확만 거둘수 있다면 중국이 세계 경제권을 주도하더라도 미국은 자본가를 막지는 않을 것이다. 세계는 매판자본으로 경제 발전한다. 사회주의의 알파와 오메가 모두 서구의 투자를 받아 경제 성장을 일궜다. 러시아와 중국 모두 경제 성장의 투자처를 서구와 미국에서 구했다.

11.이슬람권의 자본주의 이식 가능성

먼저 경제성장과 물적 향유를 긍정하고 이들이 주창하는 평 등사회의 건설과정에서 개인들의 주도적 역할과 국가 및 사회제도의 부차적 보완적 역할을 강조하는 이슬람 경제학, 그리고 사적 부문의 활성화와 공동체차원의 자급과 상호부조를 주창하며 전개되는 이슬람근본주의자들의 사회경제적 개입은 과거의 국가주도 및 규모위주의 발전모델, 그리고 이념적 차이에도 불구하고 공히 국가의 역할을 “발전”에 필수적이라 여기던 기존 이데올로기들에 대한 정당한 비판의 측면을 지니긴 하지만 결과적으로 국가의 사회적 책임 방기와 시장경제 원리를 이슬람법에 비추어 정당화하면서 신자유주의적 경제 및 국가 모델을 이슬람과 화해시킨다. 그리하여 그간 아랍의 주요 이데올로기들의 특징이었던 제3세계주의적 경향은 신자유주의 사고에 큰 영향을 받고있는 이슬람근본주의에서 비본질적 위치만 차지하고 있다. 이는 근본주의적 성향이 가장 강한 사회인 사우디아라비아와 수단이 신자유주의 경제모델을 가장 열성적으로 추구하는데서도 알 수 있다. 그 한 예로 알제리의 대표적 이슬람근본주의 세력인 이슬람구

국전선(FIS)은 시장경제의 원리의 많은 부분을 이슬람법에 비추어 정당한 것으로 해석하면서 이 둘을 화해시킨다. 구 소련의 방식보다 개인과 소유의 존중을 중시한다고 나름대로 해석하는 이슬람에 더 근접해있다는 이유로 제국주의적 측면에도 불구하고 미국방식의 경제노선을 선호한다. 또한 사우디 경제정책은 코란에 의한 신자유주의 경제체제의 정당화의 전형을 보여준다. 경제에 대한 코란의 일반적인 원칙들을 넘어서 생산수단의 사적 소유와 유산의 정당성 등 보다 구체적인 내용을 근거로 상 업활동과 고용노동, 이윤, 이자의 인정 내지 활성화하고 있는 것이다. 사우디에서 이슬람은 이란이나 파키스탄에서처럼 경제영역에 코란의 일반적인 원칙들을 실질적으로 적용시키기 위한 것이기보다는 자본주의적 경제규범의 수용과 치세의 수단으로 이용하기 위한 것이다. 이슬람규범 그 자체가 목적이 아닌 것은 이 나라에서 이슬람법에 근거한 헌금이 매우 미약하고 다른 세금도 거의 부재한 것에서도 알 수 있다.

이슬람경제, 즉 경제에 이슬람원리를 적용시키려는 노력도 이런 논리의 일환으로 볼 수 있다. 경제문제에 대한 이슬람근본주의의 개입은 이들에 가까운 경제학자들의 점증하는 정치참여와 사우디의 석유 수입과 시장개방에 편승한 이슬람은행, "이슬람 기초공동체"의 발전, 그리고 극빈자들에 대한 원조 등을 통해 이루어지고 있다. 물론 경제에의 관심 자체가 경제적인 것에 관여된 정치적 요소를 고려하지 않는 사고의 증거가 되지는 않는다. 그 보다는 이슬람근본주의자들의 경제관과 이들의 경제영역 개입이 극단적인 경제, 즉 시장중심주의를 특징으로 하는 신자유주의의 지배 속에서, 그리고 그와 동일한 논리하에 행해지는 것이라는 점에서 두 이데올로기의 친화성을 찾을 수 있다. 다른 한편 이슬람운동의 지도자들과 이 운동을 긍정적으로 평가하는 학자들이 이 운동의 근대적 성격을 강조하기 위해 제시하는 근거들에서 우리는 세계와 사회에 대한 과학적 인식이 결여된 과학기술 "발전"의 숭배를 볼 수 있다. 여기서 우리는 이들의 "근대성"이 이들에 의해 주조되어 사회에 강요되는 경직된 "전통", "이슬람"과 쉽게 결합될 수 있는 한 근거를 발견할 수 있다. 과학기술에 대한 이러한 환상은 70년대에 석유가 신의 선택의 징표로 경배된 것을 연상시킨다. 한편 과학 기술에 대한 몰두는 이데올로기보다는 군수산업의 발전을 통한 군의 근대화로 대중과 민족주의 엘리트들에게 신망을 얻고 또한 자신의 이해를 추구하는 군에서도, 그리고 이러한 군의 강화가 가져올 정치적 안정을 바라는 중간계급의 지지에서도 나타난다. 물론 경제에 대한 종교세력의 자유주의적 경향은 자본주의 도입 이전부터 있어왔다. 전제군주와 종교세력 모두 그들의 주된 사회적 기반을 상인계층과 고리대금업자에 두고 있었다. 그러나 그것은 정치적 차원의 문제이며, 시장의 존재가 생산 양식으로서의 자본주의와 필연적 연관을 가지는 것이 아니듯, 자본주의와 이슬람의 어떤 선택적 친화성의 증거는 되지 못한다. 그보다는 아랍세계, 특히 동쪽 아랍세계에서 전통적으로 상업과 금융의 비중이 컸었다는 점으로 설명해야 한다. 그리고 오랫동안 이와는 반대로 이슬람에서의 이자의 금지와 요행을 바라는 정당하지 않는 사업계약에 대한 금지가 자본주의의 발전이 이 지역에서 늦었던 원인으로 해석하기도 했던 것이다. 어쨌든 로댕송이 강조하듯 코란은 정치경제학 서적이 아니며 경제와 관련해 추상적인 논의만을 담고 있다. "코란에서 근대에 나타난 자본주의에 대한 승인이나 비난을 찾는 것은 헛된 일이다." 이와 관련해 우리가 말할 수 있는 것은 단지 역사에 나타난 이슬람 경제담론은 그 시대에 규정된다는 점이고 이는 특히 경제적인 것이 사회의 여타 영역에 우선시된 오늘 더욱 중요한 점이라는 것이다.

12.아프리카는 영원히 가난하게 살아야 하는가?

4차 산업혁명의 시작과 컴퓨터 기술의 발달은 해외 진출 기업들의 귀국을 가속화하고 있다. 자동화 시스템의 도입으로 인건비가 저렴한 해외 생산의 장점이 줄어들고 있으며, 4차 산업혁명의 핵심 기술인 인공지능, 사물인터넷, 빅데이터 등을 활용하기 위해서는 본국에 가까운 곳에서 생산하는 것이 유리하기 때문이다. 중국의 인건비가 비쌀 무렵, 인도나 아프리카로 가야할 기업들이 본국으로 회귀하여 아프리카는 자본주의의 정수를 구경도 못할 처지가 되었다. 1990년대부터 개발 지원 단체들은 개발도상국의 부채를 관리하는 방법에 중점을 두었다. 주로 1980년대 개발도상국의 낭비적이고 비용이 많이 드는 투자에서 비롯된 1990년대 부채 위기는 장기간의 경제 및 재정 조정을 가능하게 했으며 많은 국가에서 부채 압력을 줄이려는 노력으로 이어졌다. OECD 기부자들과 다자간 기구들은 대부분 취약한 국가들을 대상으로 한 2005년 고부채 빈곤국(HIPC) 이니셔티브를 통해 부채 구제를 위한 주요 자금을 제공했다. 그들은 세계은행과 IMF의 세심한 모니터링을 통해 가난한 개발도상국의 부채를 훨씬 더 신중하게 관리했다. 이러한 노력은 지방 재정 수입을 개선하고, 부채 수준을 신중하게 관리하며, 정부의 비용 효율성에 대한 강력한 통제를 보장하는 데 집중된다. 이는 세계은행과 IMF가 총괄적으로 투자를 주도하며, 이를 위해서는 기부자들 사이의 강력한 조정과 IMF와 세계은행이 정부와의 논의를 통해 설정한 재정 지속 가능성 매개변수 프레임워크 내에서 작업하려는 의지가 필요했다. 오늘날 다수의 취약한 국가들은 거시경제적 안정성을 위협하는 새로운 부채 위기를 경험하고 있다. 취약국을 포함한 개발도상국의 신규 부채 중 급속히 증가하는 부분을 중국이 짊어지고 있다. 중국의 공격적인 대출은 이들 국가들을 새로운 재정 및 통화 위기로 몰아넣을 위험이 있다는 이유로 서방 정부로부터 심한 비난을 받아왔다. 중국은 부채를 재협상한 이력이 있으며 정부가 상환할 수 없을 때 비용을 회수하기 위해 자산을 압류한 경우가 거의 없다고 주장한다. 또한 높은 수준의 부채가 관찰자들이 보고 있는 것처럼 장기적으로 부정적인 영향을 미치지 않을 수도 있다고 주장한다. 자금을 지원받은 많은 프로젝트가 중요한 경제적 이익을 갖고 있다고 생각할 수도 있다. 이는 훨씬 덜 설득력 있는 주장이다. 또한 신용 상환 현물 요청 및 투명성이 부족한 신용 메커니즘과 같은 많은 투자 조건에 대한 우려도 있다. 주범은 중국만이 유일한 것은 아니다. 서구에 기반을 둔 많은 헤지펀드와 유럽, 캐나다, 미국의 민간 기업들도 이들 국가에 신용을 제공했다. 어떤 경우에는 의심스러운 프로젝트에 대해서도 그랬다. 또한 많은 취약국들은 특히 천연자원이 있는 경우 중요한 자본을 조달할 수 있는 국제 채권 시장에 직접 접근한다.

13.팩스 스페인의 몰락과 융성하고 있는 중국의 쇠락

스페인이 몰락의 길을 걸은 것은 '시대착오적 이념으로 시장을 억압'한 때문이다. 당시 유럽은 '종교개혁의 열풍'이 휩쓸고 있었다. 독일과 스위스에서 시작된 신교는 북유럽과 네덜란드, '필리페2세의 사돈 땅'인 스코틀랜드까지 퍼지고 있었고, 영국은 '종교개혁도 없이 얼렁뚱땅 신교국가'가 됐다. 프랑스도 신교의 세력이 만만치않았다. 그런가하면, 동방 오스만투르크 제국과 북아프리카의 이슬람 세력은 호시탐탐 유럽을 넘보고 있었다. 이런 상황에서, 스페인은 '카톨릭의 수호자'임을 자처했다. 유럽 전역에서 벌어진 '종교전쟁'에 거의 모두 군대를 보내야 했다. 아무리 해가 지지 않는 제국이라한들 감당하기 어려웠다. 특히 국내에서도 '종교탄압을 극도로 강화'했다. 필리페2세는 왕궁을 수도원 및 무덤과 공유하도록 만들고, '카톨릭 유일신앙을 강제'했다. 그 표적이 된 것이 유대인과 이슬람 교도들이다. 이들은 왕실의 강요에 따라 살아남기 위해 모두 카톨릭으로 개종했지만 추방당했다. 그렇지 않으면 모두 학살됐다. 종교도 문제지만, '이들의 존재 자체'가 스페인 왕에겐 기분이 나빴다. 유대인과 이슬람이 없어지자, '스페인 경제도 붕괴'됐다. 이들이 담당했던 금융업과 직물업 등이 모두 사라졌다. '귀족과 관리들은 세금 한푼 안내는데', 이들이 없어지면 어디에서 세금을 걷을 것인가. 이렇게 스페인은 '해가 지고 몰락'의 길을 걸었다. 소결하면, 스페인은 신대륙에서 약탈한 금은 보화를 자본주의 시스템과 접목하지 못하고 자본가를 국외로 추방한 후로 쇠락의 길을 걸은 것이다. 중국도 스페인과 비슷하게 자국의 자본가와 동상이몽의 관계에 있다. 과거 중국 경제를 융성하게한 자본가와 현 정부와의 사이가 삐걱거리고 있다.

14.러우 분쟁과 부의 흐름

우크라이나 사태 발발 이후 국제 제재 일환으로 세계 대형 선사들의 대러 서비스를 중단하게되어 러시아는 물류 애로를 겪고 있다. 러시아의 수출 해상운송 중 70%가 에너지 자원을 운반하는 탱커 및 벌크 선박 운송이다. 2021년 기준 러시아 해상운송 교역 규모는 7,850억 달러로, APEC 지역이 33.3%를 차지하였고 유럽이 35%, 미국이 12% 를 차지하였다고 한다. 최근 로즈아톰 관계자에 따르면, 우크라이나 사태 이후로 아시아 지역으로 향하는 러시아 수출 해상운송량이 전년 동기 대비 80%가 증가했다고 한다. 동 관계자는 이러한 기조 하에 북극항로의 연중 운항은 반드시 이루어져야 하고, 현실화되는 시점인 2024년부터 북극에 동북아

물류 허브 구축도 가능할 것으로 예상했다. 러시아의 북극 항로 개척은 세계 무역 항로를 장악하고 있는 미국으로서는 난감할 것이다. 이번 우크라이나 전쟁으로 브릭스가 새로운 무역 루트를 시험하고 있는 듯 보인다. 달러패권에 도전하려는 나라가 뚜렷이 보이는 것도 사실이다. 또한, 브릭스가 새로운 국제 통화를 만들려고 한다는 이야기가 심심찮게 들린다. 대 러 제재로 인해 러시아 산 원자재 가격의 폭락과 더불어 러시아 내 달러가 종이 조각이 돼버려 인플레 유발, 달러화 약세가 지속될 것으로 보인다.

한편, 아제르바이잔에 이어 투르크메니스탄도 카스피해를 횡단하는 파이프라인을 건설하여 유럽으로의 원유

수출을 도모했지만, 러시아는 환경보호를 명분으로 막고 있다. 푸틴은 우크라이나와도 파이프라인 및 에너지 개발 문제로 심각한 갈등을 빚어왔다. 유럽에 수출되는 러시아의 원유나 천연가스의 80%는 우크라이나를 지나는 파이프라인으로 운송된다. 2005년에 우크라이나에 친서방 빅토르 유셴코 대통령 정권이 들어서면서 러시아와 파이프라인을 둘러싼 갈등이 심화되었다. 유셴코는 선거운동 중 얼굴이 심하게 변형돼 러시아 정보기관이 독살을 시도했다는 주장이 제기되기도 했다. 당시 푸틴은 유셴코 정권이 파이프라인에서 대량의 원유를 빼돌리고 있다고 비판했다. 우크라이나를 신뢰할 수 없다고 본 푸틴은 최대 고객인 독일과 100억달러를 들여 발트해를 지나는 파이프라인 노르트스트림2의 건설을 추진했다. 독일은 2017년 일본 후쿠시마 사태 이후 핵발전소 완전 폐기를 추진하면서 러시아로부터 도입하는 천연 가스 물량이 급증했다. 하지만 독일은 이번 우크라이나 전쟁 후 노르트스트림2의 승인을 철회했다. 그런데 이런 상황에 반전을 가져올 새로운 변수가 생겼다. 소련 붕괴 이후 우크라이나에 막대한 양의 석유와 천연가스가 매장돼 있다는 사실이 서방에 의해 확인된 것이다. 천연가스 매장량은 드러난 것만 5조4000억㎥로 노르웨이 매장량의 3.5배에 달한다. 주요 매장지역은 크림반도 주변, 동부의 돈바스를 관통하는 드니프로-도네츠크 지역, 그리고 서부의 카르파티아 등 3

곳이었다. 드니프로-도네츠크 지역은 특히 앞으로도 상당한 양의 천연가스가 추가로 발견될 것으로 학자들은 예상하고 있다. 우크라이나에는 유럽행 파이프라인이 있기 때문에 에너지가 본격적으로 개발되면 싼값에 유럽으로 공급될 수 있다. 우크라이나가 EU 회원국이 되면 유럽은 막대한 저장시설까지 활용할 수 있게 된다. 2010년 우크라이나 대통령에 친러파인 빅토르 야누코비치가 당선되었다. 그러자 푸틴은 야누코비치에게 러시아 석유를 30% 싸게 공급해주고 150억달러를 지원하겠다는 약속을 하며 EU 가입을 보류시켰다. 그런데 2014년에 우크라이나에서 민주혁명이 일어나 친러 야누코비치 정권이 축출되고, 새로이 들어선 페트로 포로셴코 대통령은 다시 EU 가입을 시도하며 서구와의 협력을 재개했다. 푸틴은 2014년 3월 러시아인 보호를 명분으로 돈바스를 침공하고 크림반도를 병합하였다. 그후 돈바스와 크림반도를 되찾으려는 우크라이나와 점령을 기정사실화하려는 러시아 간의 무력충돌은 올 2월 러시아의 전면침공 직전까지도 지속되어 왔다. 우크라이나에서 생산되는 원유와 천연가스가 EU로 수출되기 시작하면 러시아의 에너지산업은 판매시장을 잃고, 러시아 경제는 활력을 잃을 것이다. 우크라이나 전쟁 이후 러시아는 '실존에 위협 (existential threat)'이 되는 상황이 닥치면 핵무기를 사용하겠다고 공언하고 있다. 그런데 우크라이나의 에너지가 EU에 수출되는 상황은 푸틴의 석유 및 천연가스 사업에는 그야말로 실존적 위협이다. 따라서 러우 분쟁에서 러시아는 반드시 승리해야만 하는 풍전등화의 상황에 처해 있다.

이번 전쟁으로 러시아와 브릭스의 밀월은 더 친밀해진 것 같아 보인다. 그렇다고 브릭스가 달러 패권을 무너뜨릴 것 같지 않아 보인다. 미국은 러시아와 친밀히 협업해야할 일이 많고, 중국 또한 미국의 영향력으로부터 독자적 움직임이 포착되지 않고 있다. 미국이 대만을 포기하지 않는다는 점을 중국은 알고 있다. 대만과 중국이 서로 이길수 없는 소모전은 안 할 것으로 봐야 하지만, 전쟁의 계기는 뜻하지 않게 찾아온다. 국가가 우선인가, 거대 자본을 가진 집단이 우선인

가. 국가가 우선이라면 미국의 패권 은 상당 기간 유지될 것이고, 자본 집단이 우선이라면, 자본가는 거금을 투자한 투자처로 시선이 집중될 수 밖에 없다. 미국 자본가 상당수가 중국에 어마어마한 투자를 해서 어지간해서는 중국의 몰락을 좌시하지 않을 것이다.

에필로그

나른한 오후 낮잠 한숨 자고 일어나 보니, 아침이 아닌가 밖이 어두어져 있었다. 또래 아이들처럼 시간이 왜 이리 더딘지 빨리 어른이 되고 싶었다. 학교에서는 시간을 쪼개 공부하느라 딴 생각은 하지 않았다. 집에서 꿀같은 휴식으로 심신 충전하며... 어떤 애들은 장래 꿈도 꾸며 보람찬 하루를 보냈겠지. 나는 아니다. 어릴 적 나는 부모님 말씀을 잘 들었다. 형제들과 띠앗을 나누며 자란 나지만, 그네들과는 달리 나는 밖으로 안돌았다. 집에서 동화책을 보거나 흙놀이를 하면서 시간 가는 줄 몰랐다. 아버지는 먼지 묻는다고 나무랐지만, 이건 부모님께 양보 안했다. 왜이리 귀신이 무서웠던지 밤에 상당히 떨어져 있던 화장실 가는 게 어려운 일과였다. 아버지의 아우라에 가려 나는 내 성향을 죽이며 어린시절을 보내야 했다. 감정 표현이 좀 둔했다.

어렸을 적 일이다. 유치원은 안다녔지만, 그때쯤으로 기억한다. 몇 살 위 형은 기회있을 때만 되면 초등학교 국어책에 나온 개미와 사냥꾼 화보를 내개 보여준다. 나는 개미가 다리를 물어 사냥꾼의 무섭게 일그러진 모습에 울었다. 틈만 나면 나는 울었다. 길을 가다가도 어머니 손을 놓치면 울었다. 그래서 불행중 다행인지 나는 미아 아동이 될 염려가 없었다. 한편, 프로이드의 오이디푸스 콤플렉스를 거치지 않은 아이는 성격이 모나게 자란다는 것을 커가며 알게 되었다. 나는 어머니를 따라 시장에 자주 다녔다. 꽃샘 추위에 손이 트자 어머니는 구리세린을 손에 발라 주셨다. 딸이 없는 지라 내가 딸 역할을 한 것 같다. 지금도 어머니는 무슨일이 생기면 나부터 먼저 찾으신다. 아버지도 무서웠지만, 어머니도 무서웠다. 성인이 된 나지만, 어머니는 잔주름이 서려 있는 얼굴을 거울에 비쳐 보시고 처진 눈꼬리를 위로 치켜 올리셨다. 순간 나는 어릴적 무서운 어머니의 얼굴이 떠올랐다.

그런 아이가 초등학교에 입학했다. 처음에는 또래 아이들과 어울리기 힘들었지만, 친구에 적응하여 이제는 제법 힘이 약하게 보이는 아이들을 을러대며 을의 입장을 떠나 갑의 입장도 취할 줄 알게 되었다. 1학년 때는 선생님이 내주신 과제를 꼼꼼이 해 가 항상 칭찬을 받은 나였지만, 아이들고 어울리는 재미에 빠져 2학년 때는 받아쓰기 점수가 낮게 나오면 어머니께 보여주기 싫어 길가에 버린 적도 있었다. 나의 교활한 면이 여지없이 드러난 때이도 했다.

이런 나의 악한 면은 중학교에 들어가며 여지없이 철퇴를 맞게 되었다.

변성기가 온 아이들과 근육을 길러가는 애들, 나는 신체적으로 약해서 그들을 대적하기 불가능했다. 그래서 하염없이 공부만 했다. 내게는 데미안 같은 친구는 없었다. 그 역할은 어머니가 대신 해 주신 것 같았다. 청소년기 즈음에는 어른들이 어떻게 벌어먹고 사는지 가끔은 의문이 들 때가 있었다. 옆에 세들어 사는 아저씨는 태권도 단증 소유자였는데, 앞으로 도장을 차려서 생계를 이어갈 수 있다는 허풍 아닌 허풍으로 주변 사람들에게 종종 말을 이어갔다. 그럼 현재 무슨일을 하는지 궁금하기도 했다.

그렇게 중학교에 적응하고 있을 즈음 고등학교를 우리 지역으로 배치받아 우리 주인집에 같이 세들어 살며 통학하려는 어느 여학생이 들어왔다. 어머니 말로는 우리와 먼 친척 지간이란다. 나는 초저녁 잠이 많아 밤늦게 까지 공부하는 날이 많지 않았다. 가끔 자정이 넘어서 책상을 지킬 때 창문 너머로 그 누님 집에 여전히 전등이 켜 있는 걸 보게 되었다. 아마도 그 누님 덕분에 내가 좀 더 늦게까지 책상에 앉아 있는 일 이 자주 일어났다. 그러던 어느날 밤새 비바람이 일어 낙엽이 우수수 떨어진 날 아침에 밤새 도둑이 들었다는 말을 어머니께 들었다. 옆집 누님이 뜬눈으로 울고 있었다는 말이 어깨 너머로 들려 왔다. 마루를 살펴보니 산적같이 두툼한 맨발 자국이 선명히 찍혀 있었다. 한참 후에야 그 때 무슨 일이 일어났는지 알게 되었다.

초등학교 3학년이 되자 친구하고 사이좋게 지내는 것이 더 나은 전략이라는 것을 깨닫게 되었다. 머리가 좋아 성적은 좋게 나왔다. 한 학년이 올라가자 달마다 반장을 돌아가며 맡게 되는 행운이 찾아와 나도 월 반장에 선출되었다. 그 뒤로 해마다 반장이 되는 건 당연한 현상이 되었다. 어떤 때는 전교 회장이 되기도 했고, 선생님은 나를 무한 신뢰하셨다. 하지만, 그런 나를 두고 주위에서는 나의 독선적 이미지를 부각시키며, 폄하하는 아이가 많았다. 급기야는 선생님께 고자질하는 아이도 나왔다. 선생님은 무한 신뢰를 거두시고 수업시간에 나의 고집스런 성향에 딴지를 거셨다. 선생님의 제자에 대한 사랑, 그 선택이 옳았다는 것을 어른이 된 후에야 알게 되었다.

내 성향이 모났다는 것을 학창시절에는 인정하기 어려웠다. 고등 학교 때는 왜 이리 선생님과 안맞았는지 이해하기 어려웠다. 고등 학교 입학시험에 좋은 성적이 나올 것을 담임 선생님은 기대하셨지만, 운 나쁘게도 내가 평소 시험쳐 왔던 경향의 시험이 아니라, 대학입시 본고사형 문제로 출제하여 어떻게 시험에 합격했는지도 몰랐다. 중학교 선생님들은 나를 많이 나무랐다. 고 2때 일이다. 전국 모의고사에서 제일 괜찮은 성적을 받았다. 이걸 부모님이 아시면 좋아하실 것 같았다. 하지만 웬걸 집으로 성적표가 안왔다. 보름전 선생님이 화분에 물좀 주라 하신걸 내가 너무 자주 주면 뿌리가 썩지 않나요, 반문했다. 어쨌거나, 나는 장유유서를 모르고 어른을 대했나 보다. 고3은 그야말로 스파르타 식으로 애들을 가르쳤다. 나는 자유분방한 분위기가 좋았다. 혼자 공부하는 것을 선호한 나는 그 방침에 적응하기 힘들었다. 자꾸 성적은 떨어지고, 급기야는 선생님으로부터 무당에게 굿 한번 벌여야겠다는 말까지 나왔다. 황당해서 나는 목표를 대폭 낮춰 현상 유지에 만족해야 했다.

대학에 들어가자 선배들은 왜이리 데모에 열을 내는지 이해하기 힘들었다. 자연스레 학교 공부는 등한시하고 기숙사 사생들과 어울렸다. 내가 학교에 적응못하는 것이 내 탓인가 의구심이 들어 명동에 있는 리쿠르트에 찾아가 심리검사를 받아봤다. 관계자는 이렇게 좋은 점수는 보기 힘들다며 나를 다독였다. 그 뒤로 청춘에 자신감이 붙어 무슨일을 해도 잘해 낼 마인드가 형성된 것 같다. 그렇게 청춘의 절정기를 보내고 있었다.

1.

91년 2월에 상경해서 기숙사에 입사했다. 숙모가 이불과 베게를 사 주시고 구두 한 켤레 맞춰 주셨다. 학교 오리엔테이션은 안 간 대신 소주 한병을 사다 마셨다. 이 걸 총무가 봤다. 아래층 학교 선배가 나를 초대해 대화를 좀 나눴다. 나의 외골수는 기숙사 선배들과의 담화로 많이 사라져 갔다. 기숙사에 온 건 참 잘한 일이다. 뒤늦게 깨달은 일이지만, 학창시절

부모님이 가르쳐 주신 진리가 성인 예비 시기인 대학시절에는 통하지 않았다. 많은 시행착오를 거쳐 성숙한 지성인이 되는 것도 얼마 지나지 않아 이루어졌다. 5월 경 기숙사에 여학생이 입사해 오픈하우스를 열었다. 그날 저녁 정장입은 선배에 샴페인을 터뜨리며 얄궂게 놀았다. 한참 분위기가 무르익을 무렵, 한 남선배가 아직 모습을 안보인 여학생좀 데려 오라고 부탁했다. 호실에 찾아가 보니 문이 반쯤 열려 있어, 나와서 사람들고 어울리라고 말하고는 다시 돌아왔다. 좀 있다가 그 여학생이 현관에 나타났지만, 바로 다시 자기 호실로 들어가 버렸다. 이튿날, 아침을 먹고 전철역으로 가는 도중 한 여학생이 앞서 걸어가고 있었다. 어제 그 여학생

(앞으로는 '을녀'란 별칭을 쓴다)이란 걸 직감했다. 나는 걸음이 빨라, 을녀을 제치고 나아가야 해서, 인사를 하고 멀찌감치 앞서 갔다. 그러나 웬걸 그 여학생이 운동화를 끄집으며 뒤쫒아 왔다. 어제 내가 무슨 실수를 했나 내심 불쾌했다.

누군가가 청춘은 다시 돌아오지 않는다고 했던가, 나는 많은 친구들을 사귀며 많은 담화를 즐겼다. 남학생 여학생 가리지 않았다. 무릇 예비역 선배들은 나의 태도를 못마땅해 하는 사람도 더러 있었다. 성인영화를 안 본건 아니기에 여자가 성적 대상으로 보임즉도 하다만, 내 머리속에는 그런 계산이 없었다. 장마가 끝나고 피서철, 내 어릴적 소꿉친구가 속초에 살던가. 무작정 그 친구를 찾아갔다.

고속버스를 탈 때 일부러 여학생이 있는 곳에 동석했다. 이말 저말 나오고 꽤 친해졌다. 대관령 휴게소에 내려 그 친구와 무언가 주섬주섬 먹으면서 이야기를 나누고 있었다. 도중에 그 친구가 내 어깨에 손을 올렸다. 무슨 의미인지 햇갈렸다. 더이상 진전된 관계는 없었고 그대로 헤어졌다. 거리에는 서태지와 아이들의 '난 알아요'가 울려 퍼졌다. 청춘이라... 죽마 고우 집은 바닷가와 가까운 석호 주변에 자리잡고 있었다. 천해의 자연경관이 아름다웠다. 매년 찾아와야지.... 헤어질 때 그 녀석이 손수 동판에 찍은 라운드 티를 한장 선물 받았다. 흑백으로 염색한 브룩실즈의 얼굴이 드러난 티였다. 귀사하여 그 티를 입고 선배들과 족구를 즐겼다.

한참 게임에 열중하고 있을 때 을녀가 산책 나가는 것이 목격되었다. 얄궂게 나는 볼이 브룩실즈의 이마가 닿는 가슴 트레핑으로 공을 받아 넘기고는 웃음을 참지 못했다.

을녀는 학생운동하는라 기숙사에 가끔 모습을 비춘다. 나는 학생 운동이 마음에 안들었다. 나만이 아니라 전반적으로 그런 분위기였다. 왜이렇게 기숙사 식당밥이 맛있던지, 어린시절 음식 가린 내가 무색할 정도로 편식이 사라졌다. 어릴적 어머니가 멍게를 사 오셨다. 다들 가난한 형편이지만 어머니는 자식에게 만큼은 푸짐하셨다. 멍게를 한입 먹어보라하셨지만 역겨워서 뱉어 냈다. 형은 날름 날름 잘도 먹는다. 골고루 먹는 것은 좋은 징조라 군대에도 적응 잘하겠지. 군대는 없어서 못먹지 닥치는 대로 먹어야 힘든 일상을 견딘다. 다들 군대에 가면 군대 분위기에 흠뻑 젖어 사회와는 다른 일상을 산다. 하지만 나는 사회 일상을 잊지 않았다. 그래서 선임과 불화가 잦았다. 복학했을 때 예비역으로 보이는 어느 학생이 내가 장교 출신이 아니냐고 말할 만큼 나는 군대 문화에 젖어 보낸 게 아닌 모양이다.

내가 어렸을 적 아버지는 나를 많이 좋아 하셨다. 시험 성적이 좋은 날 집에 와 보면 아버지가 나무로 뚝딱 뚝딱 무엇을 만드시고 계셨고, 그 이야기를 하면 함박 웃음을 지으셨다. 하지만 그 시간도 잠시 고등학교 때 성적이 떨어지니 아버지 얼굴에서 웃음이 사라졌다. 어쩌다가 서울 소재 대학에 입학하였지만, 항상 아버지께 죄송한 마음이 있었다. 대학은 다니고 있지만 데모하는 학교는 다니기 싫고 기숙사에서 끄적 끄적 고등학교 때 배운 문제집을 들춰 내었다. 열정은 없었다. 킬타임이었다. 운동은 열심히 하였다. 그렇지 않았다면 군대 훈련은 견디기 힘들었을 것이다. 어쩌다가 S대 시험 한번 쳐볼까... 당연히 낙방했고. 그 소문이 을녀에게 들어갔나 보다. 크리스마스가 끝나고 눈이 내릴만한 조건은 갖췄으나 내리지는 않는 겨울날, 선배와 현관에서 대화를 나누고 있었다. 선배 뒤로 을녀가 계단을 올라오며 나에게 인사를 건넸다. 나는 어색해서 고개를 돌렸다. 그로부터 한참후 을녀가 혼자 저녁 식사하는 테이블에 동석을 시도했지만, 서로 건네는 말은 없었다. 그렇게 을녀에게 무디어져 갔다.

2.

92년 봄 여느때와 마찬가지로 기숙사 식당에서 식사하고 계단으로 올라가던 중 내려오는 을녀와 마주쳤다. 오른쪽으로 비켰더니 막아 서길래 왼쪽으로 방향을 틀었다. 다시 막아 서길래 오른쪽으로 방향을 틀었다. 그러나 다시 막아섰다. 다시 왼쪽으로... 그제서야 올라갈 수 있었다. 실수인가 고의인가 한참후에 고의였다는 것을 알 수 있었다. 그해 여름 내 절친은 전방 철책에서 근무하고 있었다. 더위가 잦아들 무렵, 무작정 그 친구 부대로 찾아갔다. 위병들 하는 말이 현재 전방 근무라 만날 수 없다는 전갈이 왔다. 차비가 아까워 서울까지 히치하이크로 돌아왔다. 청춘이니까… 그 친구에게 그 이야기를 나중에 해주었다. 그 녀석 무언가 아는 놈이다. 95년 내가 자대 배치를 받은 첫 봄에 그 친구가 내게 면회를 왔다. 얼차려 받던 중에 외박을 얻어 그 친구 집에서 자고 이튿날 부대 복귀했다.

부대장은 꿈이 큰 사람이라 부하들을 잘 부린다. 매일같이 노역하거나 운동하는 것으로 부대 일상을 꾸린다. 나는 최 북단 포병부대에 근무한지라 무장 공비가, 그러니까 철책을 넘어서 침투하는 경우에 대비해야 했다. 아니나 다를까, 그해 봄 대침투 작전 훈련으로 야간에 사단 수색대가 우리 부대를 상대로 가상 침투 모의 훈련을 벌였다. 잠을 안자고 초소에서 무장 공비가 침투 못하게 하는 게 임무다. 나는 졸음이 오면 초소 철조망 밖으로 머리를 내 밀어 상황을 주시했다. 그렇게 아무일 없이 날이 샜다. 이곳 전방은 겨울에 눈이 많이 오고 칼바람이 인다. 들은 얘기지만, 내가 배치받은 전 해에 눈이 사람키보다 높이 왔더란다. 그 이듬해에도 나는 무릎까지 내린 눈속에서 혹한기 훈련을 받았다. 봄에 진지공사 때 떼 작업을 하는데 왜이리 배가 고픈지 모르겠다. 주머니에 건빵을 들고 살다시피 했다. 최 전방인지라 PX 도 없다. 나는 얼마 지나지 않아 사격 지휘부로 인사 이동되었다. 주로 하는 일은 포낙하지점을 컴퓨터로 계산하는 것이 주요 일과였다. 그런대로 적응을 잘 했다.

92년 가을 기숙사에서 지방 향우회를 주관한다는 이유로 사감으로부터 질책을 받고 즉시 향우회를 해체시켰다. 다행히 빨리 처리를 해서 사감이 퇴거 요구는 하지 않았다. 잠시 사생들과 대화를 멈춰야 해서 대학생활은 야간에 수업을 받았다. 한 학기를 주간에는 도서실에서, 야간에는 수업을 받고 귀사하면 자정 전후가 되었다. 그 해 겨울 기숙사 현관에서 선배와 담화하고 있는 중 현관 유리 너머로 을녀가 브라자 차림으로 화장실을 들락 거리는 모습이 눈에 띄었다. 그 상황을 무시하고 선배와 말을 이어갔다. 그 즈음 기숙사에 도둑이 들어 사감과 사생들간 대화 후 1층 여학생을 2층으로 옮기자는 데 합의했다. 그 여파로 나는 3층에서 1층으로 내려왔다.

3.

93년 5월 경, 어느 화창한 일요일 오전, 여느 휴일과 마찬가지로 J.H. 영문과 교수실에서 창 밖을 내다보고 있었다. 대운동장에서 운동권 학생으로 보이는 수십명의 학생들이 둥그렇게 모여 앉아 있었다. 그들의 일상사가 궁금해서 창문을 통해 관찰해 보았다. 사랑과 정열을 그대에게, 그들의 연예인 방불케 하는 자유분방함이 내게는 충격이었다. 그해 여름 6월 장마기간 중 일주일 정도 귀향했다가 상경했다. 기숙사에는 몇 안되는 사람이 있었다. 나는 103호에 살고, 102호 연세대 선배는 낮으로 자고 밤으로 공부했다. 장마비가 소강 상태일 때는 일년 중 가장 공부하기 좋은 날이다. 그날도 선선한 바람에 달빛은 구름사이로 간혹 비치고 더 공부해야 하는데 억지로 일찍 잠을 청했다. 그러다 잠결에 남자의 단발의 신음소리(허허 억! — 외치는 소리 같았다.)를 들었다. 밤에 뭐하지! 별 다른 생각없이 잠을 청했다. 그해 어느 초가을 형님으로부터 어떤 여학생이 낙태를 했다는 말을 들었다. 나는 기숙사에 관심 끊은지 오래다. 한귀로 듣고 한귀로 흘러 보냈다. 몇 주 후 저녁 식사하러 가는 데 102호 선배와 을녀가 자판기에서 웃으며 커피를 마시고 있었다. 잘 어울리는 한 쌍이라 생각했다.

그해 늦가을 어느 밤, 밤 8시 정도 나는 전철역에서 기숙사로 걸어 오고 있었다. 잠시 후 뒤에서 신발 끄집는 소리가 들렸다. 왜 저러나 싶어 잠시 멈춰 섰더니, 을녀가 빠른 걸음으로 앞서 갔다. 무슨 할 말이 있나? 며칠 후 어느 저녁, 여느 때와 마찬가지로 창문 밖을 보고 있던 중 후배들이 을녀를 뒤따라 오면서 토끼 몰이라고 해야 하나, 을녀가 급한 걸음으로 쫓겨 들어오는 것이 보였다. 그녀는 왕따 당하고 있음이 분명했다. 쯧쯧...

12월 초순 경, 어느 날 졸업반인 을녀에게 KBS 관현악단 정기 연주회를 같이 보러 가자고 편지함에 글을 남겼다. 아무 응답이 없었다. 그래서 12월 20일경, 하트 모양을 그려서 파가니니의 바이올린 협주곡을 그녀의 편지함에 보냈다. 그래도 응답이 없어, 전화를 걸어 한 번 만나자고 했더니 날짜와 장소(사당 역)를 알려 주었다. 즐거운 성탄절, 만나러 나가기 몇 시간 전 왠지 오늘이 내 제삿날이나 되는 듯 기분이 별로 안좋았다. 사당역 출구를 나와보니 멀찌감치 을녀와 그녀의 친구들이 보였다. 계단 올라갈 때 선제 제압으로 어깨로 어깨를 밀쳤다. 올해가 졸업 반, S대 환경 대학원에 입학 했다나! 엘리트라고 축하해줬다. 궁금한 것을 물어 보았지만 그녀는 주로 툭 쏘듯이 단답형으로만 대답했다. 분위가가 얼음같아 장난끼가 발동했다. 그녀의 웃음에 누런 이가 드러났다. '담배도 피우나!' 그러던 중, 그녀는 기숙사에 도는 소문을 모르느냐고 물었다. 고개를 갸우뚱거렸지만, 그녀는 설명해 주지 않았다. 이 분위기는 아니다 싶어 그냥 헤어지자며 카페 밖을 나왔지만, 그녀의 콧방귀는 끊임없이 들렸다. 기숙사에 들어와서 며칠 후 카페에서 만나 얘기한 이야기가 가십 거리가 된 걸 직감했다. 일주일 정도 상황이 어떻게 돌아가는지 지켜보았다. 이대로 놔두면 안되겠다 싶어 묘수를 기획했다.

4.

94년 신정날 아침에 식판에 음식을 채우고 나오던 중 을녀가 몇 미터 뒤에 줄 서 있는 것을 확인하고, 이때다 싶어 그녀 옆에서 코 바람을 길게 뺐다. 그러고는 남선배들과 식당 가장 자리에 자리를 잡았다. 식판에 음식을 채운 친형님은 을녀가 밥먹는 그

곳을 예의 주시하며 쳐다보고는 시원하다는 표정으로 뒤돌아 걸어와 한쪽에 자리잡았다. 그 상황에 남학생들이 우왕좌왕 들썩이며 을녀에게 대시하는 학생들도 나오고, 여학생 중에는 밥먹다 말고 그냥 나가는 상황이 연출되었다. 을녀도 식사 도중에 그냥 나갔다. 확실히 복수는 했지만, 그날 이후 상황이 묘하게 돌아가고 있었다.

그로부터 이틀 뒤 을녀는 귀사 인원체크부 내 이름란에 그녀가 평소 체크하던 방식대로 하트표시를 대여섯번 굵직하게 반복하여 남들이 다 알아보도록 뚜렷히 기입하였다. 참 이상하였다. 을녀의 현 애인인 102호 선배도 아니고, 4년 터울의 친형님이 1층에 기거하고 있는데 나한테 왜 그

표시를 했는지 의아해 하였다. 더 이상한 건 후배들이 내 출입문에 침을 뱉고 다닌다는 것이다. 큰 형님과 무슨 관계가 있는 것인가.. 이 상황이 지속되면 안되겠다는 생각이 들어, 104호 선배방이 침을 뱉는 후배들의 아지트인 것을 알고 있었고 그 선배 방에 크게 노크를 해서 내 방으로 불러 들였다. 무슨 말을 해야하나, 그 선배가 뭐라 말했는지 지금은 기억이 나지 않았고, 퇴거 해 주싶사 요청했고 안 나가기에 밀쳐 내 보냈다. 하트 표시가 문제야... 인원 체크부에 하트를 끼적이는 상황이 3일 지속되자, 형님에 관심있는 것이 아니라 나에게 하는 연출이라는 것이라 생각하고 내심 안심하였다. 을녀는 신정날 일에 대해 나를 용서해 주었나.... 어쨌든 나도 장난끼가 발동하여, 그 날 저녁 8시 경 저녁 식사하러 가는 도중에 현관에서 2층으로 올 라가는 그녀를 발견하자, 계단 너머로 그녀만 들릴 만한 목소리로 동요 옹달샘 한 소절 '새벽에 토끼가 눈비비고 내려와' 를 읊어 대고는 식당으로 갔다.

다음날 오전에 식당에 물 마시러 가는 도중에 을녀와 102호 선배 두 사람만 1층 남학생 화장실 청소를 하는 것을 목격하였다. 참 이상하다. 두 사람 다 평소 화장실 청소는 안하는 사람들이었고 왜 여학생이 남자 화장실 청소를 하는지... 그 날 점심 먹으로 식당으로 가던 중 현관 유리문 너머로 그 두사람이 대화하고 있는 것을 보았다. 다음날 아침 잠에서 깨어 아침 먹으려고 문을 열고 나오자 기숙사 남학생들의 기이한 행동이 눈에 들어 왔다. 정신 병동에서나 볼 만한 희한한 상황이 연출되었다. 고개를 숙이고 그자리에서 앞으로 한발짝 뒤로 한발짝 옆으로 한발짝 빙글 빙글 제자리에서 돌고 있었다. 식당 쪽을 보자 울녀가 웃으며 현관으로 잽싸게 나가는 장면을 보았고 102호 선배는 문을 열고 닫고를 반복하며 나를 주시했다. 나는 이러다 죽을 수도 있다는 생각이 들어 그 상황을 모면하고자 머리 회전이 급하게 돌았다. 내 기억으로는 어제 청소하던 장면과 그제 옹달샘 노래가 전부였다... 이런 걸 기적이라하나, 갑자기 지난 여름 장마통에 잠자다가 들었던 단발음 소리가 그 두사람과 관계가 있지 않나 생각이 들었고, 나는 식당으로 가며 그 두사람에게 경고하는 메시지로 102호 문 앞에서 옹달샘 노래를 크게 불러댔다.

이게 웬일인가. 다음날 또 다시 어제와 똑같은 상황이 연출되었다. 참 이상하다. 나는 을녀에게 흠 잡힐 일은 안했다. 그럼 두 사람의 정사보다 더 한 일이 벌어졌다는 얘긴데, 요 몇 주 사이 기숙사 돌아가는 형편을 보니, 내가 모르는 일이 기숙사에서 벌어졌다는 얘기다. 내가 아니라 내 큰형님.... 형님이 을녀에게 흠잡힐 일을 벌였단 말인가. 만약 형님이 일을 벌였다면, 지난 여름에 그 두 사람이 벌인 일은 조족지혈에 불과했다. 이건 내가 노력하여 풀 수 있는 문제가 아니었다. 이 상황을 어떻게 풀어야 하나 생각하다가 지난 여름에 일어났던 일을 모른 척하며 이 기괴한 좀비 상황을 멈춰 주기를 을녀에게 내 속마음은 바라고 있었다. 사회 통념을 넘어서는 이 상황이 8일여 지속되자 나는 인생 정리를 해야할 순간이 될 수도 있다는 생각이 들었다. 을녀는 내가 모른다고 확신이 들었는지 그 이후로는 좀비 상황 연출을 멈추었다. 참 희한한 건 공무원인 총무가 그 상황을 지켜 보며 제지를 안했다는 점이다. 좀비 상황은 멈추었지만 사생들이 식당에 출두를 안 한다는 점이다. 나는 지난 여름에 벌어진 일은 가슴속에 묻어둬야 된다는 생각을 했고, 며칠 후 아침 식사를 먹으로 식당으로 가는 데, 2층 계단에서 내 뒤를 따라 붙는 을녀를 보았다. 식당 아주머니는 둘 사이가 어떤 사이인지 물어보았다. 내가 머뭇거리는 순간 을녀는 스터디하는 친구 사이라고 얼버무렸다. 그녀는 음지 구석 지에서 나를 관찰하며 식사했고, 나는 양지 구석지에서 벽을 보며 식사를 마쳤다.

일주일여 시간이 지나자 기숙사는 제 모습을 찾게 되었고, 104호 선배가 1층 복도에서 식당으로 통하는 길목에서 을녀의 앞을 가로막는 묘한 신경전을 보게 되었다. 또한 며칠 전 학교 선배가 내 방에 와서 을녀와 무슨 사이냐고 물어 보았는데, 대답하기 참 곤란해서 매력있는 여성 연애인의 바디 랭귀지를 흉내내 빙그래 혀를 돌렸다. 어쨌거나 을녀는 언젠가는 말이 나오겠지... 그럼 내가 연출한 상황을 이해할 것이라 확신했다. 이게 러브게임인가, 102 호 선배도 친형님도 아니고, 매력있는 여성이 나하고 연문을 연출 하려 하다니 시집은 제대로 갈는지 우스웠다.

보름 후 상황이 정리되었고, 안보이던 친형님이 점심 같이 먹자고 나를 불러 냈다. 형님한테 무슨 말이 나오기는 할텐데, 형님의 안색이 안좋아 보였고, 급기야 지난 20여일간 벌어진 일에 대한 논평은 한마디로 안했다. 2월 하순경 귀가하여 형님과 마주하였다. 형님은 나에게 본질적 으로 나쁜 놈이라 몰아세웠고, 나는 할말이 없었다. 그여자 착하더라는 말 한마디 내게 던진게 고작이었다. 을녀가 마음에 있는 건지…

5.

2월 말 을녀는 기숙사를 떠났고, 무슨 이유인지는 몰랐지만,친형님도 3월 기숙사를 퇴거하였다. 그런 일을 겪고 난 후 나는 삶의 의욕이 없어졌다. 아침 식사마다 나를 관찰하는 102호 선배의 두 눈을 피해야 했고, 나는 애써 평상심을 유지하였다. 이제는 문제가 기숙사가 아니라 내가 다니는 대학이였다. 104호 선배에 대한 무리한 행동은 지역 감정을 유발시킬 만한 단초를 제공했고, 나는 학교 학생들에게 미움을 받고 있었다. 지난 1월 기숙사에 무슨 일이 벌어지긴 했는데 무슨 일이 벌어졌는지 모른다는 게 내가 느낀 실존의 한계 상황이다. 이대로는 안 되겠다 싶어 S대 대학원을 찾아가 을녀에게 자초지종을 듣고 싶었다. 웬걸 나를 보자마다 도망치듯 사라졌다. 나는 을녀에게 오해를 받고 있단 생각이 들어 다시는 찾아갈 엄두를 못냈다.

그해 여름은 찌는듯이 더웠다. 병무청에 자진 입대 신고서를 내고 가을 학기에 과 선배 한 사람에게 군대간다는 메시지를 남기고 춘천 102 보충대에 친형님과 같이 갔다. 형님은 내게서 무슨 정보를 알아내려고 노력하는 것 같았지만 나는 말해 줄 수 없었다. 띠앗이 좋다는 게 무슨 뜻일까, 지금도 되내여 보지만, 형님과 나 사이는 바다만큼 큼지막한 장애물이 있음이 느껴진다. 동생 나름의 인생을 인정해 주지 않고 자기 인생에 종속시키려는 형님은 대학 생활 내내 동생과 투닥거리는 일로 얼룩져 있었다.

6.

을녀와의 일이 잘 풀렸으면 내 인생은 날았을 것이다. 제대로 인생의 의미를 찾아 청춘을 만끽하며 꿈을 불태운 날이 1년이 채 안 되었다. 신병훈련소에서 나는 다시 고등학교 때처럼 마음이 혼탁해져 합리적 사고를 하기 힘들었다. 수료식이 다가오면서 대학생활은 잊혀져 갔고, 마지막 미션인 40킬로 행군은 내 체력의 한계를 느끼게 했다. 후반 10킬로 남겨놓고 주저 앉고 싶었지만, 버텼다. 대학생활 때 운동을 열심히 한 덕택이었다. 형님과의 불화는 수료식 이후 콘도에서도 벌어졌다. 어머니도 그 장소에 계셨지만, 뜻이 안맞는 형님과는 좋은 띠앗이 뭔지....

일병을 달자 부대장은 태권도 단증 합격율에 부대 명예를 걸고 부대원을 지휘했다. 부대장은 대 여섯 조로 나누어 연습시키다가 한 번은 어느 정도 실력이 향상되었는지 점검하였다. 그 중 제일 향상이 더딘 조를 골라 연병장에 집합시켰다. 언제 부턴가 부대장은 오리를 수로에 내놓아 기르고 있었다. 그 수로에 일직선으로 세워 놓고 앞으로 취침, 뒤로 취침, 오리가 놀던 물에 잠수시켰다. 난 군대에서 희한한 일을 자주 겪었다. 많은 일들 중에 하나지만, 이 경험이 제일 기억에 남는 일화이기도 하다. 자대 배치를 받고 맡은 일에 열심히 하며, 구타를 피하려고 선임들이 맡은 임무까지 내가 도맡아 일처리 하였다. 군생활 중반기에 군대에 완전 적응하여 행복

한 나날을 보냈다. 아침에 대변 볼 시간조차 여유치 않게 바쁘게 보냈다. 그래서 작업하다가 시냇가에 용변을 보기도 했다. 그 냇가의 원천이 북에서 넘어온 물이렸다. 북한 여인이 멱을 감기도 했을까, 선임들한테 여인의 향기가 느껴지냐고 장난치기도 했다.

대대 전술 경연대회에서 우수함을 인정받았고, 생활의 여유를 느꼈지만, 대학 서적은 부대 내로 반입 안했다. 오로지 임무에 충실하였고, 이대로 주저 앉기를 넌지시 권하는 분도 있었지만, 군에 말뚝 박기는 싫었다. 병장 때 여름 한 더위에 부대장은 부대 주변 시냇가로 부대원을 데려가 수영할 사람은 하라고 했다. 나는 수영을 못했지만 물놀이를 하고 싶어 안되는 팔놀림을 했다. 가라앉을라 치면 땅을 짚었다. 이를 두고 후임이 아시아의 물개라는 별명을 붙여 주었다. 정기 훈련은 일년에 4번 정도 한다. 봄, 가을은 실 사격 훈련, 여름에는 유격을 받고, 겨울에는 혹한기 훈련을 한다. 내가 계산한 포탄이 목표에 맞았다면, 기분이 업되겠지. 윗선으로부터 질책은 안받았으니 제대로 계산은 되었겠지.

귀가의 꿈을 꾸고 있던 어느날, 전역 3개월 앞두고 강릉에 무장 공비가 출현하였다. 대대 상황실로부터 보고를 들어보면 공비가 북으로 산을 타고 올라오고 있다는 전갈이었다. 나는 선임하사에게 실탄을 지급해 달라고 건의했다. 공비가 산을 탓으면 지금쯤 우리 부대 부근까지 올라왔을 것이다. 그런 어느날 상황실로 급전이 왔다. 선임하사가 우리부대에 공비가 출현했다는 말이다. 나는 통신병과 선임하사가 나누는 대화 내용을 듣다가 대대에 급히 보고했다. 보고한 후 얼마 안있어 장난 전화라는 선임하사의 말을 듣고는 대대에 번복 보고를 할까 망설이다 공비가 주변에 있을 거라는 심증을 굳히고 보고하지 않았다. 이틀 뒤 공수부대 200여명이 헬기 레펠을 타고 내려와 우리 부대에 진을 쳤다. 수색한 지 일 주일이 못되어 공비 한 명을 사살했다. 이후 우리에게도 탄약이 지급되었고 공비가 있을 법한 주변산을 수색하게 되었다. 수색한 지 며칠 후 대나무 숲 가운데에 며칠 사람이 기거한 흔적도 보였다. 우리 국군의 매복지점인지 공비가 머물렀던 곳인지 분간하기 힘들었다. 그리고 며칠 후 오후 임무 도중 인원 점검할 때 내 직속 막내 후임이 실탄 탄창을 분실한 일이 발생했다. 부대장은 잠시 생각하다가 탄창을 찾으라고 명령했다. 오던 길을 돌아가 수색한 지 3시간 만에 찾는 데 성공했다.

공비는 대부분 사살했고 한 두명만이 철책을 넘어갔는지 알 수는 없었지만, 우리는 지칠대로 지쳤다. 11월 추위에 먼 산에서 밤새 매복해야 했다. 나는 부대원이 수색하는 상황을 수시로 대대에 보고해야 해서 숙소에 부대원 중에는 거의 유일하게 남아 있었다. 혼자 상황실을 지켜야 하기에 언제 긴급 전갈이 올지 긴장하느라 용변 볼 시간조차 없었다. 강추위가

다가 올 무렵, 날씨가 너무 추워져서 상부에서 작전을 마무리하라는 지시가 내려졌다.

7.

전역 당일 서울행 버스에서는 조관우의 늪이 울려 퍼졌다. 가을 학기에 복학해야 하기에 여름까지는 집에 있었다. 가끔 기숙사에서 있었던 일이 생각나면 트로마에 걸렸는지 생각조차 하기 싫었다. 형님은 여름에 지방에 내려와 잠시 보냈다. 동생한테 정보를 캐는 습관은 없어진 것 같았고, 나한테 한대 맞을 것 같다고 놀려 대는 버릇은 여전하였다. 기숙사에 다시 갈까도 생각했지만 웬지 가고 싶지 않았다. 그냥 학교앞 고시원에 기거할 생각이었다.

학교 분위기는 많이 차가웠다. 이대로 다녀야 하나 고민했고 이번 학기만 다니고 다른 길을 모색하려고 시도하였다. 대선 후 신림동 고시촌 분위기는 학교보다 더 차가웠다.
98/4/19날 S대 학생들의 그날 의거를 시연하는 장면은 인상깊었다. 곧 집으로 내려갔다.

8.

집에 내려와 요 근래에 벌어진 일에 대해 생각해 보니, 을녀는 아마도 결혼했을 것이고, 기숙사 건에 대해 누구에게 책임이 있는지 사회에서 갑론을박하는 과정의 구심점에 내가 위치해 있지 않나 생각되었다. 나에 대한 당원들의 줄기찬 공격은 나의 잘못을 드러내려는 의도가 보였다. 당원들은 내가 알지 못했던 정보를 제공하며 나를 압박했다. 내가 군대에 있는 기간 을녀가 무슨 말을 했길래 사회가 그렇게 들썩였다는 말인가... 그해 5월 형님으로 부터 전화가 왔다. 자기는 화간을 했단다. 나처럼 소극적이지 않고 적극적으로 큰일을 벌였다는 말을 첨부했다. 이제서야 나는 그 당시 내 추론이 맞았다는 것을 인식했고, 형님께 그해 여름에 벌어졌던 일에 대한 정보를 제공했다. 알고 문제를 풀라는 얘기다.

94년 그 때로 되돌아 가보면, 내가 다른 사람들에게 그해 여름에 벌어진 일을 말못한 이유는 형님이 만약 을녀에게 크게 일을 벌인 것이 사실이라면, 나로인해 형님이 다칠게 뻔하였다. 그리고 을녀도 자신이 102호 선배와 벌였던 일을 마치 아무일 없었다는 듯이 연기를 한 것으로 보였다. 형님이 일을 벌인 것이 사실이 아니라면, 나도 그 커플이 관계를 가졌을 거라고 가늠한 일을 사실인양 떠벌일 수 없었다. 정황증거가 부족해서 사감에게 말을 못했다는 얘기다. 또한, 그 둘이 결혼이라도 하는 날에는 내 입장이 난처하게 된다는 생각도 했다. 어쨌든 형님이 을녀에게 벌였다고 가늠한 생각이 사실로 드러나서 내가 어림잡았던 일이 옳다는 것을 확인했고, 이윽고 을녀가 사람들에게 소문냈었던 말들이 당원을 통해 내개 전달되었다. 을녀는 내게 결혼의 책임을 물었다는 것이다. 내가 그녀를 차지하려고 일을 냈다거나, 내가 그녀를 좋아해서 그 일을 벌였다거나, 내가 정치적으로 크고 싶어서 그 일을 벌였다던가, 도무지 어처구니 없는 말을 늘여 놓았다. 그 해 여름에 벌어진 일을 감추려고 나에 대해 거짓 공세를 퍼부었다는 이야기다. 그날 102호 선배와 관계를 벌였던 장면을 내가 보았다고, 아니면 내가 을녀를 좋아해서 그녀를 죽이려 했다던가, 스릴러 소설에서나 나오는 장면을 상상해서 사람들에게 어필했었던 것이다.

또 기숙사에서 내가 친하게 지내던 여학생과 로맨스를 즐겼다는 허황된 사실도 적시했다. 을녀 자신이 벌였던 스캔들을 나에게 모조리 뒤집어 씌웠다. 내 옆방에서 그녀가 즐긴 일을 내가 즐긴 것으로 사람들을 속여서 내가 포르노 배우라는 터무니 없는 정치 공세를 이어 갔다. 형님이 을녀 자신에게 벌인 일도 내가 한 일이라고 말을 바꾸었다. 그러니까 지난 5년여 동안(1994-1998) 나를 형님 아바타로 둔갑시켰다는 말이다. 더 황당한 것은 을녀가 고등학교 때 성폭행한 남성들 중 한 명이 나와 닮았다나, 아니면 그 중 한 명이 나라고 엄포를 놓거나, 말도 안되는 견강부회의 주장을 하였다. 그해 봄에 학교에 복학하라는 연락이 왔지만, 학생들에게 무슨 말을 해야했을까, 형님을 팔면서 학교 생활을 이어갈 수는 없었다. 어떻게 알았는지 나의 사춘기가 막 시작됐던 그해 초가을에 먼 친척 여고생에게 벌어졌던 일을 내가 한 양 둘러대는 뻔뻔함까지 보였다.

맺음말

을녀(실명 정상아, 연세대 가정학과, 서울대 환경대학원)는 현재까지도 그 일에 대한 명확한 자기 입장을 말하지 않고 있다. 이 글은 국민의 알권리 차원에서 적은 보고서이다. 많은 국민이 이 사건을 알게되면 더 나은 정치 문화를 위정자에게 요구할 수도 있을 거라는 생각이 든다. 이 일로 국민들에게 심려를 끼쳐 드린점 정숙히 사과 드립니다.

참조문헌

0.위키피디아, 나무위키 대항해시대
1.30년 전쟁과 베스트팔렌 평화 조약 연구 조용석
2.위키백과 아편전쟁
3.© The University of Newcastle, Australia

4.루소, 민주주의 스승인가, 전체주의 창시자인가 박홍규 //혁명의 역사 속 민중의 삶

최병서 동덕여대 경제학과 명예교수//위키피디아, 나무위키, 브리테니커 백과사전

5.위키피디아, 나무위키

6.영국 명예혁명(1688-89)과 한국의 민주화(1987-97)의 비교역사 학적 연구 김용직

7.The Soviet Union: How and Why Did it Fall?

The Soviet Union fell apart on December 31st, 1991. But how and why did it fall? Read

on

to find out the truth.

Dec 15, 2021 • By Robin Gillham,

BA History, MA Russian & Post-
Soviet Politics
8.Ludwig von Mises (1881-1973)
taught in Vienna and New York and
served as a close
adviser to the Foundation for
Economic Education. He is
considered the leading
theorist
of the Austrian School of the 20th
century.
9.Populism and the Decline of
Social Democracy
Sheri Berman, Maria Snegovaya
10.위키백과 매판
11.이슬람과 시민사회: 신자유주의
아랍의 사회통합 기제 엄한진
12.THE NEW GEOPOLITICS OF

FRAGILITY RUSSIA, CHINA, AND THE MOUNTING CHALLENGE FOR PEACEBUILDING //ALEXANDRE MARC, BRUCE JONES
13.'해가지지 않는 제국' 스페인 몰락, '이념으로 시장 억압' 탓, 윤광원
14.관련 언론 및 보고서 사이트(https://arctic-russia.com, https://ria.ru, https://portnews.ru, www.nsra.ru, www.reuters.com, https://tass.ru, www.vedomosti.ru, www.interfax.ru 등)
로즈아톰플롯(www.rosatomflot.ru), 로즈아톰(www.rosatom.ru), 러시아 연방 통계청 정보 (https://www.gks.ru),

러시아 통계청
(http://static.government.ru),
KOTRA 모스크바 무역관 기업 인터뷰 및 자료 종합
우크라이나 에너지 유럽 수출 순간 벌어질 일 //우태영 자유기고가

부의 흐름과 국제 관계

발 행 | 2024년 02월 20일

저 자 | 파라과이 박

펴낸이 | 한건희

펴낸곳 | 주식회사 부크크

출판사등록 | 2014.07.15(제2014-16호)

주 소 | 서울특별시 금천구 가산디지털1로 119 SK트윈타워 A동 305호

전 화 | 1670-8316

이메일 | info@bookk.co.kr

ISBN | 979-11-410-7084-7

www.bookk.co.kr

ⓒ 파라과이 박 2024

본 책은 저작자의 지적 재산으로서
무단 전재와 복제를 금합니다.